Mosaik

GEMÜSE!

Über 200 raffinierte Gemüsevariationen
von Beilagen über Aufläufe bis zu Suppen

MOSAIK VERLAG

Inhalt

Gemüse – Gemüse

Gemüse als Beilage, Hauptgericht oder Bestandteil von Suppen und Eintöpfen wertet jedes Gericht geschmacklich, optisch und in seinem Gesundheitswert auf.

Wurden früher die Wurzeln, Stengel, Blätter und Früchte von Pflanzen – denn genau das ist Gemüse – zu weichem Mus zerkocht, weiß man heute, daß die gegenteilige Zubereitung wünschenswert ist: Schonend gegartes, noch knackiges, bißfestes Gemüse enthält mehr Vitamine und Mineralstoffe und schmeckt zudem viel besser als weichgekochtes. Die Vielfalt an Gemüsearten und Möglichkeiten der Zubereitung sind enorm.

EINKAUFSTIPS

Gesund ernähren heißt, sich beim Gemüseeinkauf nach dem saisonal bedingten Angebot der Jahreszeiten zu richten, denn künstliches Nachreifen und lange Transportwege mindern den Gehalt an wertvollen Inhaltsstoffen. Zudem ist Treibhausgemüse stärker mit Schadstoffen (Düngerückstände, Nitrat) belastet als Freilandgemüse. Biologisch angebautes Gemüse ist zwar nicht schadstoffrei, enthält aber nachweislich deutlich weniger unerwünschte Stoffe als Gemüse aus konventionellem Anbau.

Nicht immer kann man beim Einkauf frisches Gemüse bekommen. In solch einem Fall ist Tiefkühlgemüse eine empfehlenswerte Alternative. Industriell wird Gemüse sogar schonender eingefroren als in der eigenen Tiefkühltruhe.

GEMÜSE RICHTIG LAGERN

Gemüse sollte zwar immer so frisch wie möglich verzehrt werden, doch gelegentlich kommt man nicht darum herum, Gemüse auch einmal auf Vorrat einkaufen zu müssen. Sei es, daß Feiertage vor der Tür stehen oder daß man einfach keine Zeit hat, ständig frisches Gemüse zu kaufen. Im Gemüsefach des Kühlschranks, luftig verpackt, lagert fast jedes Gemüse bei der richtigen Temperatur. Allerdings hat jedes Gemüse seine eigenen Lagerzeiten. Im Gefrierschrank oder der Tiefkühltruhe kann Gemüse über mehrere Monate bei −18 °C gelagert werden. Wichtig dabei ist, ausschließlich frisches und einwandfreies, blanchiertes Gemüse einzufrieren. Einige Gemüsearten sollten bereits gegart eingefroren werden: zum Bei-

spiel Auberginen, Chicorée und einige Bohnensorten. Die Lagerzeiten schwanken zwischen 3 Monaten (Auberginen) und 10 Monaten (Kohlsorten, Hülsenfrüchte). Eine andere Möglichkeit der Vorratshaltung bietet industriell tiefgefrorenes Gemüse, das in kleinen Portionen gekauft werden kann. Die Zeit zwischen Einkauf und weiterer Lagerung sollte kurz sein, damit das Gemüse nicht antaut. Einmal auf- oder angetautes Gemüse muß sofort verbraucht werden.

Eine weitere Möglichkeit, Gemüse zu lagern, ist das Einmachen oder Einlegen in einen Sud aus Essig, Salz, Zucker und Gewürzen. Essig verhindert die Entwicklung von Schimmelpilzen und Fäulnis- bzw. Gärbakterien. Die richtige Kombination von Essig und den übrigen Ingredienzen verleiht Gemüse einen pikanten, süß-sauren Geschmack. Eingelegtes Gemüse paßt zu Fleischgerichten.

GEMÜSE GAREN

Gleich auf welche Weise Gemüse gegart wird: Es soll immer schnell mit möglichst geringen Auslaugverlusten bißfest garen.

Blanchieren ist das Überwällen von Gemüse in kochendem Wasser und das anschließende Abschrecken mit kaltem Wasser. Damit das Gemüse nicht zu stark auslaugt, sollte dem Wasser etwas Salz zugefügt werden. Durch Zugabe von Essig oder Zitronensaft in das Wasser, bleibt die Farbe des Gemüses erhalten. Blanchieren macht Gemüse, vor allem Spinat und Blattkohlsorten, genuß- oder verarbeitungsfähiger. So werden zum Beispiel Bitterstoffe (Chicorée) entzogen, Gemüse wird einfrierfertig, die

Fruchthaut bei einigen Sorten (Tomaten) läßt sich leichter abziehen, und Blattgemüse läßt sich leichter formen. Die Blanchierzeiten liegen für empfindliche Gemüsearten (junger Blattspinat, Tomaten) bei wenigen Sekunden und für robustere Sorten (Kohlgemüse) bei 2–4 Minuten.

Dämpfen ist eine fettlose, sehr schonende Garmethode, bei der Gemüse im Wasserdampf gart und nicht mit Wasser in Berührung kommt. Alles was man dafür benötigt, ist ein gut schließender Topf mit einem passenden Siebeinsatz. Der Boden des Topfes wird mit etwa 3 cm Wasser bedeckt. Gewürze werden hinzugefügt und das Ganze zum Kochen gebracht. Danach wird das Gemüse im Siebeinsatz in den Topf gegeben und je nach Sorte weich gedämpft. Für viele Gemüsearten liegt die Garzeit bei dieser Methode zwischen 15 und 20 Minuten.

Dünsten ist eine weitere schonende Garmethode für Gemüse. Hierbei gart zerkleinertes Gemüse bei geringer Fett- und/oder Flüssigkeitszugabe und einer Temperatur zwischen 98° und 100°. Für das Dünsten sollte man Töpfe mit großem Durchmesser wählen, damit das Gemüse flach nebeneinander darin liegen kann. Zuerst das Fett im Topf erhitzen, das Gemüse und alle Gewürze bis auf Salz hinzufügen, den Topf verschließen und das Ganze 1 bis 2 Minuten andünsten. Dabei entfalten sich die typischen Aroma- und Geschmacksstoffe. Dann erst wenig Wasser dazugießen und bei geringer Hitze bißfest garen. Zum Schluß sollte nur noch wenig Flüssigkeit übrig sein.

Glasieren ist eine Variante des Dünstens. Neben Fett und/oder Flüssigkeit wird Zucker in den Topf gegeben, damit das Gemüse einen

glänzenden Überzug erhält. Wichtig dabei ist, nach zwei Dritteln der Garzeit den Deckel abzunehmen, damit der größte Teil der Flüssigkeit verdunsten kann. Außerdem sollte das Gemüse unter häufigem Schwenken fertiggaren. Für diese Garmethode eignen sich vor allem Perlzwiebeln, Speiserüben, Möhren und Maronen.

Kochen bedeutet Garen in viel siedender, leicht gesalzener Flüssigkeit im festverschlossenen Topf. Diese Garmethode laugt Gemüse am stärksten aus. Dennoch bietet es sich für das Garen von nicht zerkleinertem Gemüse, zum Beispiel Blumenkohl, an. Beim Kochen von Gemüse sollte man nur so viel Wasser in den Topf füllen, daß das Gemüse knapp davon bedeckt ist. Außerdem sollte man das Gemüse erst in das sprudelnd kochende Wasser geben und bei nur schwach kochendem Wasser bißfest garen.

Schmoren wird meistens nur für gefüllte Gemüsegerichte angewandt (Auberginen, Gurken, Zucchini und verschiedene Kohlsorten). Zum Schmoren sollte man das gefüllte Gemüse auf ein Gemüsebett aus kleingeschnittenem Gemüse, zum Beispiel aus Möhrenscheiben und Zwiebelringen, setzen. Das Ganze erst anbraten, dann mit Flüssigkeit (Gemüsebrühe) knapp bedecken und im vorgeheizten Ofen fertig garen.

Braten. In Scheiben geschnittenes Gemüse wie Auberginen, Zucchini, Artischockenböden, Knollenellerie oder Pilze können gebraten werden. Die Gemüsescheiben würzen, in Mehl wenden und in Öl oder Butter braten. Nach dem Braten abtropfen lassen und auf Küchenkrepp legen.

Gemüse als Beilage

Gemüse, das als Beilage serviert wird, soll den Hauptgang kulinarisch ergänzen und abrunden. So paßt z. B. Blattspinat auf griechische Art hervorragend zu gegrillten Lammkoteletts, das Schalotten-Erbsen-Gemüse zu Kalbsragout und das in Olivenöl geschmorte Radicchiogemüse zu gegrilltem Fisch. Wichtig ist allerdings, daß das Gemüse – wie bei unseren südländischen Nachbarn – al dente, d. h. bißfest, auf den Tisch kommt.

MANGOLDGEMÜSE
(Foto links)

Für 4 Personen
750 g Mangold
2 EL Butter
3 Knoblauchzehen
Salz
Pfeffer aus der Mühle
1 Msp. Cayennepfeffer
4 EL Crème fraîche
2 EL Aceto Balsamico oder
1 EL Rotweinessig
2 EL Pinienkerne

☐ Den Mangold waschen und an den Enden abschneiden. Die Blätter großzügig von den Stengeln schneiden oder zupfen. Die Stengel in 1 cm breite Streifen schneiden.

☐ Die Butter in einer breiten Pfanne erhitzen. Die Stengelstreifen zufügen und zugedeckt 8 Minuten bei schwacher Hitze dünsten.

☐ Den Knoblauch schälen und durch die Presse auf die Stengel drücken. Die Blätter untermischen, salzen, pfeffern und mit Cayennepfeffer würzen.

☐ Die Crème fraîche und Essig zufügen, umrühren und einmal aufwallen lassen.

☐ Das Gemüse können Sie noch mit goldgelb gerösteten Pinienkernen oder mit geriebenem Parmesan bestreuen.

Beilage zu verlorenen Eiern, dazu Kartoffelpüree mit viel Schnittlauch. Auch zu Parmaschinken oder kaltem Roastbeef.

Pro Portion: 155 kcal

tip

Das Mangoldgemüse ist warm oder kalt eine schöne Vorspeise.

1. Das Ende der Mangoldstiele mit einem Messer abschneiden. Dann die Stiele mit kaltem Wasser abspülen.

3. Die gewaschenen Mangoldstengel mit Küchenpapier trockentupfen und gleichmäßig in ca. 1 cm breite Streifen schneiden.

MÖHREN IN MARSALA

Für 4 Personen
750 g junge Bundmöhren
2 EL Butter
10 cl Marsalawein
Salz

☐ Die Möhren gründlich unter fließendem kaltem Wasser abbürsten, putzen und in dünne Scheiben schneiden.

☐ Die Butter in einer Pfanne oder Kasserolle zerlassen und die Möhrenscheiben darin 5 Minuten unter Schütteln des Topfes anschmoren. Den Marsalawein hinzufügen und salzen.

☐ Die Möhren zugedeckt 15–20 Minuten bei leichter Hitze gar schmoren lassen. Während der Schmorzeit den Topf hin und wieder schütteln, damit die Möhren nicht ansetzen. Nach Ende der Garzeit die Möhren noch einmal mit wenig Salz abschmecken.

Pro Portion: 135 kcal

2. Die Mangoldblätter auf eine Arbeitsfläche legen und die harte Blattspitze mit einem Messer ausschneiden.

4. Zuerst die Stengelstreifen in der Butter andünsten, Knoblauch hinzufügen und dann die Blätter untermischen.

ROSENKOHLFLAN MIT CHAMPIGNON-NUSS-SAUCE

Für 4 Personen
250 g Rosenkohl
50 ml Milch
6 EL Sahne
3 Eigelb
Salz
Pfeffer aus der Mühle
Butter für die Ringform
SAUCE
30 g weiche Butter
30 g gemahlene Nüsse
(Walnüsse, Haselnüsse,
Pinienkerne)
100 g Champignons
2 feingehackte Schalotten
1 EL Butter
3 EL Weißwein
100 g Sahne
0,1 l Gemüsebrühe
Salz
Pfeffer aus der Mühle
Cayennepfeffer
Kerbelblättchen zum
Garnieren

☐ Für die Nußbutter die Butter mit den gemahlenen Nüssen zu einer geschmeidigen

Paste verarbeiten. In eine Schüssel Eiswürfel füllen, die etwas kleinere Schüssel mit der Nußbutter in dieser Schüssel hineinsetzen und die Nußbutter in den Kühlschrank stellen.

☐ Den Rosenkohl putzen, über Dampf oder in Salzwasser knapp garen und sofort in Eiswasser abschrecken. Abtropfen lassen und mit der Milch im Mixer pürieren. Die Sahne auf die Hälfte einkochen. Etwas abkühlen lassen, dann mit den Eigelben gut verrühren und mit dem Rosenkohlpüree mischen. Mit Salz und Pfeffer abschmecken.

☐ Einen Savarinring mit Butter ausstreichen. Die Masse einfüllen und im Wasserbad ca. 20–25 Minuten bei 200°C garen.

☐ Für die Sauce die Champignons putzen, in sehr kleine Würfel schneiden und mit den Schalotten in 1 Eßlöffel Butter dünsten. Den Wein zugeben, kurz kochen und durch ein Sieb gießen. Die Flüssigkeit mit der Sahne und der Gemüsebrühe einkochen, bis die Sauce leicht sämig wird. Die eiskalte Nußbutter unter die Sauce schlagen. Mit Salz, Pfeffer und Cayennepfeffer abschmecken.

Den Ring vorsichtig stürzen. Die Mitte mit den Champignons und der Nußsauce füllen. Mit Kerbelblättchen garnieren.

Pro Portion: 395 kcal

tip

Anstelle von Rosenkohl kann man auch Broccoli oder Wirsing verwenden. Man kann die Flanmasse auch in Portionsförmchen (Soufflé- oder Timbaleformen) garen. Vor dem Stürzen mit einer Nadel oder einem Holzstäbchen prüfen, ob die Masse fest ist.

BLATTSPINAT AUF GRIECHISCHE ART
(Foto links)

Für 4 Personen
600 g Blattspinat, frisch oder
tiefgekühlt
1 kleine Zwiebel
2 EL Olivenöl
3 Knoblauchzehen
4 EL Pinienkerne
Salz
Pfeffer aus der Mühle
1 TL Oregano
300 g griechischer
Schafskäse

☐ Den frischen Spinat waschen und die Stiele abknipsen. Tiefgekühlten aus der Packung nehmen.
☐ Die Zwiebel schälen, fein hacken und in einem breiten Topf in heißem Olivenöl glasig dünsten.
☐ Die Knoblauchzehen schälen und durch die Knoblauchpresse dazudrücken. Den Spinat zufügen und 10 Minuten dünsten.
☐ Die Pinienkerne einstreuen. Mit Salz, Pfeffer und Oregano würzen.
☐ Den Schafskäse, je nach Konsistenz, in kleine Würfel schneiden oder zwischen den Fingern zerbröckeln. Auf den Spinat streuen und bei ganz geringer Hitze 5 Minuten mitgaren.
Beilage zu gegrillten Lammkoteletts.
Pro Portion: 445 kcal

WIRSING MIT CRÈME FRAÎCHE
(Foto oben)

Für 4 Personen
1 großer oder zwei kleine
Wirsing (ca. 1 kg)
Salz
100 g geräucherter Schinken-
speck
2 EL Butter
200 g Crème fraîche
Pfeffer aus der Mühle
frischgeriebene Muskatnuß

☐ Die äußeren welken Blätter des Wirsings entfernen, den Strunk abschneiden, den Kohl vierteln und waschen. In kochendem Salzwasser wenige Minuten blanchieren. Auf einem Sieb abtropfen lassen und die Wirsingblätter in Streifen schneiden.
☐ Den Schinkenspeck in kleine Würfel schneiden. Die Butter in einer weiten Pfanne erhitzen und die Speckwürfel darin glasig braten.
☐ Die Wirsingstreifen zu den Speckwürfeln geben und etwas schmoren lassen. Mit der Crème fraîche übergießen, die Pfanne zudecken und den Kohl 10 Minuten bei mittlerer Hitze dünsten.
☐ Mit Salz, Pfeffer und Muskatnuß abschmecken.
Beilage zu gebratenem und gegrilltem Fleisch.
Pro Portion: 460 kcal

——tip——

Anstelle des Spinats können
Sie auch Mangold verwenden.
Die Pinienkerne lassen sich
durch Mandelstifte ersetzen.

BLUMENKOHL MIT CURRY UND SAFRAN

Für 2 Personen
1 kleiner Blumenkohl
(ca. 500 g)
1 Zwiebel
1 Knoblauchzehe
2 EL Öl
1 TL Currypulver
1 Msp. gemahlener Safran
1 Stückchen getrocknete
Pfefferschote
Pfeffer aus der Mühle
Salz
4 cl Reiswein oder trockener
Sherry (Fino)
100 g Sahnejoghurt
einige Kerbelzweige

☐ Den Blumenkohl putzen und in kleine Röschen teilen. Zwiebel und Knoblauchzehe schälen und in Würfel schneiden.

☐ Das Öl in einem Wok oder einer hochwandigen Pfanne erhitzen. Die Zwiebel- und Knoblauchwürfel darin glasig braten. Die Gewürze dazugeben und kurz mitrösten.

☐ Die Blumenkohlröschen hinzufügen, salzen und unter ständigem Rühren bei mittlerer Hitze anbraten. Mit Reiswein oder Sherry aufgießen und zugedeckt bei schwacher Hitze in etwa 10 Minuten gar dünsten, dabei gelegentlich umrühren.

☐ Den Joghurt glattrühren und unter das Gemüse mischen. Mit Kerbel bestreuen. Beilage zu Seeteufel oder gebratenen Scampi.
Pro Portion: 245 kcal

———— *tip* ————

Mischt man Garnelen unter das Gemüsegericht, wird daraus eine kleine exotische Mahlzeit.

1. Den Blumenkohl putzen, mit kaltem Wasser abspülen, abtropfen lassen, dann in kleine Röschen teilen.

2. Das Öl in einem Wok oder einer hochwandigen Pfanne erhitzen und die Zwiebel- und die Knoblauchwürfel darin glasig braten. Die Gewürze dazugeben und kurz mitrösten.

BROCCOLI MIT ORANGENSAUCE

Für 4 Personen

ca. 1 kg Broccoli mit Strunk

Salzwasser

1 TL Butter

1 Scheibe Zitrone

SAUCE

2–3 Orangen

3 EL trockener Weißwein

1 Schalotte

einige grob zerstoßene

Pfefferkörner

1 EL Crème double

75 g Butter

1 Prise Cayennepfeffer

☐ Broccoli samt Strunk längs vierteln oder achteln, gründlich waschen, Salzwasser, Butter und Zitronenscheibe aufkochen. Broccoli darin bißfest garen.

☐ Eine Orange wie einen Apfel schälen. Schnitze zwischen den Trennhäutchen herausschneiden. Dabei den Saft auffangen. Die restlichen Orangen auspressen.

☐ Orangensaft, Wein, fein geraspelte Schalotte und Pfefferkörner aufkochen und bis auf 6 Eßlöffel Flüssigkeit einkochen lassen. Die eingekochte Flüssigkeit durch ein Sieb streichen, in den Topf zurückgießen und aufkochen. Crème double darunterrühren. Butterstückchen nach und nach kräftig darunterschlagen. Die Sauce mit Cayennepfeffer würzen, Orangenfilets beigeben und kurz erhitzen. Den gut abgetropften Broccoli mit der Sauce servieren.

Pro Portion: 230 kcal

RADICCHIO-GEMÜSE

Für 4 Personen

1 kg festgeschlossene
Radicchioköpfe

1 kleine Zwiebel

80 g geräucherter Speck

3 EL Olivenöl

Salz

Pfeffer aus der Mühle

☐ Den Radicchio von alten welken Blättern befreien und den Strunk am unteren Ende etwas abschneiden. Gut waschen und abtrocknen.

☐ Die Radicchioköpfe halbieren. Die geschälte Zwiebel und den Speck in kleine Würfel schneiden.

Zwiebel- und Speckwürfel im Öl glasig braten, Radicchio dazugeben und schmoren.

☐ Das Öl in einen Schmortopf oder in eine tiefe Pfanne geben und die Zwiebel- und Speckwürfel darin glasig braten. Die Radicchioköpfe hinzufügen, salzen und im offenen Topf bei leichter Hitze in 20 Minuten weich schmoren, dabei hin und wieder umrühren. Wenn Sie das Gemüse ohne Deckel garen, bekommt es eine appetitliche Knusprigkeit, lassen Sie den Deckel drauf, so wird es weich.

☐ Vor dem Auftragen mit Pfeffer bestreuen.

Beilage zu kurz gebratenem Fleisch oder gegrilltem Fisch.

Pro Portion: 245 kcal

tip

Das leicht bittere Radicchiogemüse schmeckt auch gut, wenn man es mit reichlich Olivenöl bestrichen auf dem Grill knusprig brät.

KARTOFFELPÜREE MIT KRESSE
(Foto unten)

Für 4 Personen
1 kg mehligkochende
Kartoffeln
Salz
¼ l Milch
2 EL Butter
1 Kästchen Gartenkresse
frischgeriebene Muskatnuß

☐ Die Kartoffeln schälen und in kleine Würfel schneiden. In einen Topf geben, knapp mit Wasser bedekken, salzen und in 15 Minuten weich kochen. Das Wasser abgießen und die Kartoffeln unter Schütteln des Topfes trocknen.

☐ Die Milch in einem großen Topf erhitzen. Die Kartoffeln durch die Kartoffelpresse in die Milch drücken. Mit einem Schneebesen schlagen, bis ein sahniges Püree entsteht.

☐ Mit Salz abschmecken und die Butter in kleinen Flöckchen unterrühren. Die Kresse mit einer Schere fein schneiden und unter das Püree heben. Mit Muskatnuß abschmecken.

Beilage zu gebratenem Fisch oder Fleisch.
Pro Portion: 240 kcal

───*tip*───

Anstelle von Kresse kann man auch gehackte Kräuter (z. B. Petersilie, Dill) oder eine feingeriebene rohe Möhre unter das Püree mischen.

TOMATEN-KARTOFFEL-TOPF
(Foto oben)

Für 4 Personen
1 Zwiebel
1–2 Knoblauchzehen
500 g Fleischtomaten
2 EL Olivenöl
je 1 Zweig Thymian und
Rosmarin
Salz
Pfeffer aus der Mühle
500 g mehligkochende
Kartoffeln
8 EL Hühnerbrühe
(aus Extrakt)
je 1 EL Petersilie und
Basilikum, gehackt

☐ Zwiebel und Knoblauch schälen und in kleine Würfel schneiden. Die Tomaten blanchieren, häuten, entkernen und in Stücke schneiden.

☐ Das Öl in einer Kasserolle erhitzen und die Zwiebel- und Knoblauchwürfel darin anbraten. Tomaten, Thymian und Rosmarin hinzufügen und mit Salz und Pfeffer würzen. Zugedeckt bei schwacher Hitze etwa 5 Minuten köcheln lassen.

☐ Währenddessen die Kartoffeln schälen, waschen und in kleine Würfel schneiden. Unter die Tomaten mischen, mit der Brühe aufgießen und zugedeckt bei schwacher Hitze in etwa 30 Minuten garen lassen, dabei gelegentlich umrühren. Noch einmal abschmecken und mit Petersilie und Basilikum bestreut servieren.

Beilage zu Frikadellen oder gebratenen Koteletts.
Pro Portion: 255 kcal

CHICORÉE MIT CHAMPIGNONS UND PORTWEINSAUCE

Für 4 Personen

8 Chicorée

150 g Champignons

1 EL Zitronensaft

0,2 l Portwein

1 EL Butterschmalz

Salz

Pfeffer aus der Mühle

1 TL Stärkemehl

125 g Sahne

Butter für die Form

4–6 Markknochen vom Rind

☐ Den bitteren Kern am Stielansatz der Chicorée herausschneiden.

☐ Champignons putzen, in Scheiben schneiden und mit dem Zitronensaft vermischen. 0,1 l Portwein erhitzen und die Champignons darin 5 Minuten vorkochen.

☐ Das Butterschmalz erhitzen, Chicorée hineinlegen, salzen, pfeffern und mit dem Portwein (Kochflüssigkeit der Champignons) begießen. Zugedeckt 20 Minuten dünsten.

☐ Den restlichen Portwein mit Stärkemehl verrühren und aufkochen. Die Kochflüssigkeit des Chicorée und die Sahne dazugießen, in 10 Minuten zu einer sämigen Sauce kochen, salzen und pfeffern.

☐ Eine Form mit Butter ausstreichen und die abgetropften Chicorée (am besten vorher auf Haushaltspapier legen) darin anordnen. Die Pilze darüber verteilen und die Sauce dazugießen. 15 Minuten im vorgeheizten Ofen bei 200 °C überbacken.

☐ 5 Minuten vor Ende der Backzeit das aus den Knochen herausgedrückte und in Scheiben geschnittene Mark darauflegen.

Als Vorspeise oder zu Geflügel servieren.

Pro Portion: 210 kcal

Die Chicoréestauden unter kaltem Wasser abspülen, dann mit einem spitzen Messer den bitteren Strunk aus der Mitte herausschneiden.

scharfen Messer oder Sparschäler, am Kopfende beginnend, sorgfältig schälen. Das untere holzige Ende der Spargelstangen abschneiden. Die Spargelstangen in ein nasses Tuch hüllen, damit sie knackig bleiben.

☐ Die Spargelschalen und -abfälle waschen, mit dem Wasser in einen Topf geben und in 15 Minuten auskochen. Auf ein Sieb gießen und das Spargelwasser in einen hohen oder einen länglichen Topf, in dem der Spargel Platz hat, geben. Salz, Zucker und Butter hinzufügen.

☐ Die Spargelstangen mit einem Baumwollfaden zu zwei Bündeln zusammenbinden und in das kochende Wasser, je nach verwendetem Topf, stellen oder legen. Den Spargel je nach Dicke in 10–15 Minuten kernig weich kochen. Die gekochten Spargelstangen sollen noch fest sein.

☐ Die Spargelbündel vorsichtig aus dem Wasser nehmen, abtropfen lassen und die Fäden lösen. Die Spargelstangen in eine Serviette hüllen.

☐ Für die Sauce 8 Spargelstangen im Mixer pürieren. 6 cl Spargelsud mit der Crème fraîche in einem Topf 5 Minuten einkochen lassen und das Spargelpüree hinzufügen.

☐ Vom Herd nehmen und die eiskalte Butter in kleinen Flöckchen unter kräftigem Schlagen mit einem Schneebesen unterrühren. Zum Schluß die Kerbelblätter von den Stengeln zupfen und unter die Sauce geben. Die Sauce getrennt zu dem Spargel reichen.

Für 8 Personen als Beilage reichen oder für 4 Personen als Hauptgericht mit rohem oder gekochtem Schinken oder Räucherlachs und neuen Kartoffeln servieren.

Pro Portion: 330 kcal

Die Spargelstangen gründlich waschen und mit einem Sparschäler sorgfältig schälen.

SPARGEL MIT FEINER SAUCE

Für 4 Personen

2 kg mittelstarker Spargel

4 l Wasser

40 g Salz

1 Stück Würfelzucker

20 g Butter

SAUCE

5 EL Crème fraîche

80 g eiskalte Butter

5 Stengel Kerbel

☐ Spargelstangen gründlich waschen und mit einem

GESCHMORTER SALAT

Für 4 Personen

4 kleine oder 2 große Köpfe
Romanasalat (römischer
Salat)
Salz
100 g Frühstücksspeck oder
Bacon
1 Zwiebel
1 Stange Staudensellerie
1 Möhre
0,1 l Fleischbrühe (Extrakt)
2 EL Butter
1 EL Mehl
1 EL Tomatenmark
Saft von ½ Zitrone
Pfeffer aus der Mühle
75 g saure Sahne

☐ Von den Salatköpfen die härteren Außenblätter entfernen und den Strunk jeweils messertief einschneiden. Die Köpfe in siedendem Salzwasser einige Minuten blanchieren, herausnehmen und abtropfen lassen.

☐ Den Speck oder Bacon in sehr dünne Scheiben schneiden. Zwiebel, Sellerie und Möhre putzen, waschen und fein würfeln.

☐ Eine ofenfeste Form (groß genug für die Salatköpfe) mit den Speckscheiben auslegen. Die blanchierten Salatköpfe darauf betten, mit den Gemüsewürfeln überstreuen und mit Brühe begießen. Mit Alufolie abdecken und die Salatköpfe bei 200°C ungefähr 20 Minuten im Ofen schmoren lassen.

☐ Für die Sauce die Butter in einem kleinen Topf zerlassen, das Mehl einrühren und soviel von der Gemüsebrühe mit dem Schneebesen untermischen, daß eine dickliche Sauce entsteht. Mit Tomatenmark, Zitronensaft, Pfeffer und Salz abschmecken.

☐ Die Sauce vom Herd nehmen, die saure Sahne unterziehen und über die geschmorten Salatköpfe geben und sofort servieren.
Beilage: Baguette
Pro Portion: 280 kcal

CHICORÉE MIT SAHNE
(Foto unten)

Für 4 Personen

8 Chicorée (ca. 800 g)
Saft von 1 Zitrone
2 EL Zucker
2 EL Butter
8 EL Sahne
Salz
Pfeffer aus der Mühle
2 EL gehackte Walnußkerne

☐ Die welken Blätter vom Chicorée entfernen. Die einzelnen Blätter ablösen, gründlich waschen und in feine Streifen schneiden. Mit Zitronensaft beträufeln und mit dem Zucker vermischen.

☐ Die Butter in einem Schmortopf zerlassen und die Chicoréestreifen hinzufügen. Unter gelegentlichem Umrühren bei leichter Hitze schmoren lassen.

☐ Die Sahne, Salz und Pfeffer hinzufügen und die Sahne kurz einkochen lassen. Vor dem Servieren die gehackten Walnüsse unter das Chicoréegemüse mischen.
Beilage zu gebratenem Edelfisch, z. B. Seeteufel oder Seezunge.
Pro Portion: 235 kcal

tip

Im Gemüsefach des Kühlschranks hält sich Chicorée eine Woche.
Die Haupterntezeit ist von Dezember bis Februar.

GRÜNE BOHNEN MIT TOMATEN

Für 4 Personen

1 kg frische grüne Bohnen

500 g reife Tomaten

1 große Zwiebel

3 EL Öl

1 Zweig Thymian

Salz

Pfeffer aus der Mühle

⅛ l Wasser

2 EL gehackte Petersilie

☐ Die Bohnen waschen, Spitze und Stielansatz abschneiden.
☐ Die Tomaten mit kochendem Wasser überbrühen, die Haut abziehen. Die Tomaten in kleine Stücke schneiden, dabei das harte gelbe Mark entfernen. Die Zwiebel schälen und in Würfel schneiden.

☐ Öl in einem Schmortopf erhitzen. Die Zwiebelwürfel hinzufügen und darin glasig braten. Die Tomatenstücke zu den Zwiebeln geben und kurz schmoren.
☐ Bohnen, Thymianzweig, Salz und Pfeffer in den Topf geben und 10 Minuten bei leichter Hitze kochen lassen. Das Wasser angießen und die Bohnen zugedeckt weitere 10 Minuten kochen, bis sie gar sind. Sie dürfen allerdings nicht zu weich gekocht werden.
☐ Mit Petersilie bestreuen. Beilage zu Hammelbraten oder zu Matjeshering. In diesem Fall sollte man die Tomaten weglassen und den Bohnen stattdessen etwa ¼ l Wasser zugeben.
Pro Portion: 190 kcal

1. Von den Bohnen die Spitzen und Enden abschneiden.

2. Die Bohnen zu den Tomaten in den Topf geben und 10 Minuten kochen lassen.

tip

Beim Einkauf darauf achten, daß die Bohnen möglichst jung und prall sind – große Brechbohnen sind oft hart und trocken.

GRÜNE BOHNEN MIT RÄUCHERSPECK
(Foto rechts)

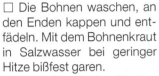

Für 4 Personen
750 g frische, grüne Bohnen
¼ Bund Bohnenkraut
Salz
100 g magerer Räucherspeck
1 EL Butter
1 Bund Petersilie
Pfeffer aus der Mühle

☐ Die Bohnen waschen, an den Enden kappen und entfädeln. Mit dem Bohnenkraut in Salzwasser bei geringer Hitze bißfest garen.
☐ Den Speck in Streifen schneiden. Die Butter in einer kleinen Pfanne schmelzen und die Speckstreifen darin glasig anbraten.
☐ Die Bohnen abgießen und das Bohnenkraut entfernen. Die Bohnen mit gehackter Petersilie mischen, die heiße Specksauce darübergießen und pfeffern.
Pro Portion: 247 kcal

TOMATENGEMÜSE MIT RUCOLA
(Foto links)

Für 4 Personen
750 g Fleischtomaten
3 EL Olivenöl
Salz
Pfeffer aus der Mühle
1 EL Aceto Balsamico oder
Rotweinessig
1 Bund Rucola (Rauke)

☐ Die Tomaten blanchieren, häuten und achteln. Die Stengelansätze entfernen.
☐ Das Olivenöl in einer breiten Pfanne mit hohem Rand erhitzen. Die Tomatenachtel hineingeben und bei mittlerer Hitze 8 Minuten zugedeckt dünsten.
☐ Mit Salz und Pfeffer würzen und mit dem Essig gleichmäßig beträufeln.
☐ Rucola abbrausen, dicke Stiele entfernen. Kleine Blättchen ganz lassen, größere grob zerschneiden. Nach Ende der Kochzeit in die Tomaten streuen. Gleich servieren. Beilage zu Lammkoteletts, pochierten Eiern oder zu Hackfleischbällchen.
Pro Portion: 130 kcal

tip

Wenn Sie die Tomaten entkernen, grob hacken und ca. ¼ l Tomatensaft zufügen, haben Sie eine wunderbare Nudelsauce, in die Sie noch gehackte schwarze Oliven streuen können.

1. Die Champignons putzen und die dunklen Stielenden abschneiden.

2. Die kleingeschnittenen Champignons mit den glasig gedünsteten Schalottenwürfeln in der Butter schmoren.

3. Den größten Teil der Sahne erhitzen, über das Gemüse gießen und einkochen lassen.

CHAMPIGNONS IN SAHNESAUCE

Für 4 Personen
1 kg kleine Champignons
2 Schalotten
100 g Butter
Saft von ½ Zitrone
250 g Sahne
Salz
Pfeffer aus der Mühle
2 EL Cognac
1 EL gehackter Kerbel

☐ Die Champignons putzen, die Stielenden abschneiden und die Champignons schnell unter fließendem Wasser gründlich waschen. Mit Küchenpapier abtrocknen. Die Champignons in Scheiben, die geschälten Schalotten kleinwürfeln.
☐ Die Butter in einer Pfanne erhitzen und die Schalotten-würfel darin glasig braten. Die Champignons hinzufügen und bei starker Hitze schmoren, bis alle Flüssigkeit verdampft ist und die Pilze beginnen, Farbe anzunehmen. Den Zitronensaft darübergießen.
☐ Die Sahne in einen Topf geben und zum Kochen bringen. Bis auf einen kleinen Rest zu den Champignons geben und einkochen lassen. Die Pilze mit Salz und Pfeffer abschmecken.
☐ Den Cognac mit der restlichen Sahne vermischen und über die Champignons gießen. Noch einmal kurz aufkochen lassen. Dann sofort mit Kerbel bestreut servieren. Beilage zu Kurzgebratenem oder als Vorspeise auf 4 Toastscheiben anrichten.
Pro Portion: 450 kcal

SCHWARZWURZELN MIT ZITRONENSAUCE
(Foto unten)

Für 4 Personen
1 kg Schwarzwurzeln
Essig
Salz
Schale und Saft von 1 unbehandelten Zitrone
150 g eiskalte Butter
Pfeffer aus der Mühle
frischgeriebene Muskatnuß

☐ Die Schwarzwurzeln unter fließendem Wasser gründlich abbürsten und waschen. Die Schale mit einem Küchenmesser abschaben, die Schwarzwurzeln in 6 cm lange Stücke schneiden und sofort in eine Mischung aus Essig und kaltem Wasser legen, damit die Stangen nicht schwarz werden.

☐ Die Schwarzwurzeln in kochendes Salzwasser legen und in ca. 20 Minuten gar kochen. Auf einem Sieb abtropfen lassen, das Kochwasser auffangen und zur Seite stellen.

☐ In der Kochzeit der Schwarzwurzeln eine halbe Zitrone sehr dünn abschälen und die Zitronenschale in feine Streifen schneiden. Wenig Wasser in einem Topf zum Kochen bringen und die Zitronenschale hineingeben.

☐ Vom Gemüsekochwasser ¼ l abmessen und mit der Zitronenschale 5 Minuten bei starker Hitze einkochen lassen. Vom Herd nehmen und die Butter in Flöckchen in die Sauce schlagen.

☐ Die Sauce mit 1–2 Eßlöffeln Zitronensaft, Salz, Pfeffer und Muskat abschmecken. Die Schwarzwurzeln in die Sauce geben und bis zum Servieren gut durchziehen lassen.
Beilage zu gebratenem Fisch und Fleisch.
Pro Portion: 305 kcal

GEBRATENE ZUCCHINI MIT PARMESAN

Für 4 Personen
700 g Zucchini
2 Schalotten
2 EL Olivenöl
Salz
weißer Pfeffer
Parmesankäse am Stück

☐ Die Zucchini waschen und abtrocknen. Blüten- und Stielansatz entfernen und in etwas dickere Scheiben schneiden. Die Schalotten schälen und kleinhacken.

☐ Olivenöl in einer Pfanne erhitzen und die Schalotten darin glasig andünsten. Zucchini hinzufügen und unter ständigem Umrühren goldgelb anbraten. Mit Salz und frischgemahlenem weißem Pfeffer würzen.

☐ Die Zucchini auf eine Platte geben und Parmesankäse darüberhobeln.
Zu Kurzgebratenem servieren oder als kleine Vorspeise reichen.
Pro Portion: 130 kcal

___tip___

Eine ähnlich köstliche Vorspeise kann man auch aus gebratenen Auberginenscheiben zubereiten. Dazu die Auberginen waschen, abtrocknen, von Stiel- und Blütenansätzen befreien und die Auberginen quer in ca. 1 cm dicke Scheiben schneiden. Diese in heißem Olivenöl braten, würzen und mit Parmesan bestreuen.

GRÜNER SPARGEL MIT KRÄUTERSAUCE
(Foto rechts)

Für 4 Personen
1 kg grüner Spargel
40 g Butter
Salz
1 TL Zucker
Pfeffer aus der Mühle
4 EL trockener Weißwein
200 g Sahne
1 Bund frische Kräuter
(Schnittlauch, Dill, Petersilie,
Estragon, Basilikum)

☐ Spargel waschen, am unteren Teil schälen und holzige Enden entfernen. Die Stangen in 4 cm lange Stücke schneiden.

☐ Die Butter schmelzen lassen, das Gemüse darin schwenken, mit Salz, Zucker und frisch gemahlenem Pfeffer würzen. Mit Wein und Sahne aufgießen. Aufkochen lassen, dann zugedeckt bei schwacher Hitze 10–15 Minuten garen.

☐ Den Deckel abnehmen und die Sahnesauce, falls nötig, noch ein wenig einkochen lassen – sie muß eine cremige Konsistenz haben. Zuletzt die frisch gehackten Kräuter untermischen.

Als Beilage oder mit neuen Kartoffeln und Schinken als Hauptgericht reichen.

Pro Portion: 236 kcal

ROTKOHL AUF ELSÄSSER ART
(Foto rechts unten)

Für 4 Personen
1 Rotkohl (ca. 1000 g)
1 Zwiebel
1 EL Schmalz
Pfeffer aus der Mühle
Salz
1 Prise Zucker
1 Lorbeerblatt
2 Gewürznelken
0,2 l Geflügelfond oder
Hühnerbrühe
2 Äpfel

☐ Rotkohl putzen, vierteln, waschen und bis auf den Strunk grob hobeln. Zwiebel schälen, halbieren und in Scheiben schneiden.

☐ Das Schmalz in einer großen Kasserolle erhitzen und die Zwiebel darin kurz anbraten. Rotkohl und die Gewürze dazugeben. Mit der Hälfte des Fonds oder der Brühe begießen und alles gut durchmischen. Zugedeckt bei milder Hitze 45 Minuten schmoren lassen.

☐ Äpfel waschen, vom Kerngehäuse befreien und in Scheiben schneiden. Äpfel unter das Rotkraut heben und weitere 30 Minuten schmoren. Dabei restlichen Fond nachgießen.

☐ Wenn die Äpfel weich sind, Lorbeerblatt und Nelken herausnehmen. Den Rotkohl nachwürzen und servieren.

Pro Portion: 135 kcal

ERBSEN MIT SCHINKEN UND PAPRIKA

Für 4 Personen

100 g Schinken

1 kleine Zwiebel

1 grüne Paprikaschote

1 EL Olivenöl

400 g grüne, frische oder tiefgekühlte Erbsen

4 geschälte Tomaten

1 durchgepreßte Knoblauchzehe

Salz

Pfeffer aus der Mühle

☐ Den Schinken in Würfel schneiden, die Zwiebel schälen und hacken. Die Paprikaschote waschen, Stielansatz und Kerne entfernen und in kleine Vierecke schneiden.

☐ Das Olivenöl erhitzen und den Schinken, die Zwiebel, die Paprikaschote und die Erbsen 10 Minuten darin dünsten.

☐ Die geschälten Tomaten in Stücke schneiden, mit dem durchgepreßten Knoblauch zu dem gedünsteten Gemüse geben und alles zusammen 5 Minuten dünsten.

☐ Zum Schluß das Ganze mit Salz und Pfeffer abschmecken.

Pro Portion: 175 kcal

tip

Tiefgekühlte Erbsen müssen etwa 3–4 Minuten länger dünsten als frische. Dieses Gemüse mit 125 g Sahne und 2 Eßlöffel geriebenem Parmesan gemischt, einmal aufgekocht und unter frischgekochte Nudeln gemischt, ist ein feines Pastagericht!

MÖHRENPÜREE

(Foto oben)

Für 4 Personen

1 kg Möhren

1 TL Zucker

1 EL Butter

½ l Brühe

2–4 EL Sahne

Salz

Pfeffer aus der Mühle

1 Prise Thymian

50 g Butter

2 EL feingehackte Petersilie

☐ Die Möhren mit einem Sparschäler schälen und in kleine Stücke schneiden.

☐ Den Zucker und die Butter in einer Pfanne schmelzen lassen. Die Möhren hinzufügen und 3 Minuten dünsten. Mit der Brühe ablöschen und 20–30 Minuten kochen. Möhren garen im Schnellkopftopf in nur 7–10 Minuten!

☐ Die Möhren abgießen.

Den Sud aufheben, da man ihn für eine Suppe verwenden kann. Die weichgekochten Möhren durch ein feines Sieb drücken oder pürieren.

☐ Das Möhrenpüree in einen kleinen Topf geben, die Sahne hinzufügen und mit Salz, Pfeffer und Thymian würzen.

☐ Die Butter in Flocken schneiden, unter das heiße Püree mischen und mit der Petersilie bestreuen.

Dieses feine Möhrenpüree sollte als Beilage zu Braten oder gegrilltem Fleisch servieren werden.

Pro Portion: 220 kcal

tip

Man kann das Püree mit gehacktem Kerbel würzen. Bei Verwendung von Wintermöhren eine Prise Zucker hinzufügen.

Die weichgekochten Möhren durch ein feines Sieb streichen oder im Mixer oder mit dem Stabmixer pürieren.

SCHALOTTEN-ERBSEN-GEMÜSE
(Foto unten)

Für 2 Personen
250 g Schalotten
20 g Butter
½ TL Zucker
6 EL Kalbsfond (aus dem Glas)
200 g frische, enthülste Erbsen
Salz
Pfeffer aus der Mühle
1 EL gehackte Petersilie

☐ Die Schalotten schälen und vierteln. Die Butter in einer Kasserolle erhitzen, die Schalotten dazugeben, mit Zucker bestreuen und unter ständigem Rühren bei schwacher Hitze anbraten. Mit Kalbsfond begießen und zugedeckt etwa 10 Minuten schmoren lassen.

☐ Wenn die Schalotten fast gar und sirupartig eingekocht sind, die Erbsen dazugeben. Mit Salz und Pfeffer würzen und bei schwacher Hitze in etwa 5 Minuten fertiggaren. Mit Petersilie servieren.
Beilage zu Kalbsragout oder Schmorhuhn.
Pro Portion: 195 kcal

ROSENKOHLBLÄTTER IN SAHNESAUCE
(Foto oben)

Für 4 Personen
500 g Rosenkohl
Salz
250 g Sahne
4 cl weißer Portwein
50 g Butter
Pfeffer aus der Mühle
frischgeriebene Muskatnuß

☐ Rosenkohl putzen, waschen und in einzelne Blätter zerteilen. Reichlich Wasser mit Salz zum Kochen bringen. Die Rosenkohlblätter in kochendem Wasser etwa 1 Minute blanchieren, abgießen und auf einem Sieb abtropfen lassen.

☐ Inzwischen Sahne, Portwein und Butter in einer Sauteuse oder einem hochwandigen Topf zum Kochen bringen, mit Salz, Pfeffer und Muskat würzen und etwas einköcheln lassen.

☐ Die Rosenkohlblätter in die Sahnesauce geben und kurz darin schwenken. Sofort servieren.
Beilage zu hellem Fleisch, Kaninchen oder Geflügel, aber auch zu Wildgerichten in einer hellen Sauce.
Pro Portion: 340 kcal

tip

Rosenkohl hat von Oktober bis April Saison. Je fester und geschlossener die kleinen Röschen sind, desto besser die Qualität.

MORCHELN IN SAHNESAUCE

Für 4 Personen

500 g frische oder 50 g
getrocknete Morcheln
60 g Butter
Salz
Pfeffer aus der Mühle
Saft von ½ Zitrone
250 g Sahne oder
200 g Crème fraîche
2 EL Cognac

☐ Getrocknete Morcheln 1 Stunde einweichen, frische Morcheln 5 Minuten in kaltes Wasser legen. Die Pilze einzeln unter fließendem Wasser sehr gründlich waschen, denn unter dem runzeligen Pilzhut setzt sich Sand fest.

☐ Große Morcheln halbieren oder vierteln. Mit Küchenpapier vorsichtig abtrocknen. Das Einweichwasser von getrockneten Morcheln durch ein feines Sieb geben.

☐ Die Butter in einem Schmortopf zerlassen und die Pilze hineingeben. Mit Salz, Pfeffer und Zitronensaft würzen. Bei leichter Hitze unter gelegentlichem Umrühren 10 Minuten schmoren lassen.

☐ Etwas Sahne und, soweit man getrocknete Morcheln verwendet, auch das Einweichwasser an die Pilze geben und die Flüssigkeit einkochen lassen.

☐ Den Cognac und die restliche Sahne hinzugießen und köcheln lassen, bis eine dikke, cremige Sauce entsteht. Beilage zu Filetsteak, Kalbsschnitzel oder Lammfilet (das halbe Rezept) oder in fertig gekaufte Blätterteigpasteten füllen.

Pro Portion: 365 kcal

1. *Getrocknete Morcheln etwa 1 Stunde einweichen, in einem Sieb abtropfen lassen.*

2. *Die Morcheln mit dem Einweichwasser, der Sahne und Cognac köcheln, dann die Sauce in Pasteten füllen.*

PFANNENGERÜHRTES KOHLRABIGEMÜSE

Für 2 Personen

2 mittelgroße Kohlrabi

(ca. 500 g)

1 kleine Zwiebel

2 EL Öl

Salz

½ TL mildes Currypulver

2 EL Sojasauce

2 EL Sonnenblumenkerne

☐ Von den Kohlrabiknollen das Grün entfernen, dabei die inneren zarten Blätter aufbewahren. Die Knollen schälen und erst in dünne Scheiben, dann in Streifen schneiden. Die Zwiebel schälen und in Würfel schneiden.

☐ Das Öl in einem Wok oder in einer hochwandigen Pfanne erhitzen und die Zwiebelwürfel darin glasig braten. Die Kohlrabistreifen hinzufügen, salzen und unter ständigem Rühren bei mittlerer Hitze anbraten. Mit Curry bestreuen, mit Sojasauce begießen und so lange unter Rühren weiterbraten, bis das Gemüse gar ist.

☐ In einer zweiten Pfanne die Sonnenblumenkerne ohne Fett rösten.

☐ Die zurückgelassenen Kohlrabiblätter feinstreifig schneiden. Mit den Sonnenblumenkernen über das Gemüse streuen.

Beilage zu Hühnerbrüstchen mit Currysauce.

Pro Portion: 405 kcal

Von den Kohlrabiknollen das Grün entfernen. Die Knollen schälen und dann in dünne Stifte schneiden.

GEBRATENE SHIITAKE-PILZE MIT KRÄUTERN

Für 2 Personen
300 g Shiitakepilze
2 Knoblauchzehen
4 EL feinstes Olivenöl
2 Salbeiblättchen
einige Rosmarinnadeln
1 EL Thymianblättchen

☐ Die Shiitakepilze putzen, kurz unter fließendem Wasser waschen oder mit Küchenpapier sorgfältig abwischen. Pilzhüte abschneiden. Stiele für eine Suppe oder ein anderes Pilzgericht verwenden. Die Knoblauchzehen schälen.

☐ Das Olivenöl in einer schweren Pfanne erhitzen, die Pilzhüte darin auf einer Seite braten, wenden und mit dem Saft der ausgepreßten Knoblauchzehen beträufeln. Die fein gehackten Salbeiblättchen, Rosmarinnadeln und Thymianblättchen zugeben und die Pilzhüte braten, bis alle Flüssigkeit eingekocht ist.

☐ Dieses Pilzgericht servieren Sie am besten mit Vollkornbaguette.

Pro Portion: 225 kcal

═══ *tip* ═══

Natürlich kann man in gutem Olivenöl gebratene Pilze auch mit anderen Kräutern und Gewürzen verfeinern. Besonders gut schmecken Kreuzkümmel, Majoran, Estragon oder Paprika.

PIKANTES PAPRIKA-GEMÜSE MIT MAIS

(Foto unten)

Für 4 Personen
2 grüne Paprikaschoten
2 rote Paprikaschoten
1 Gemüsezwiebel
2 Knoblauchzehen
4 Sardellenfilets
2 EL Olivenöl
Salz
Pfeffer aus der Mühle
½ TL Kräuter der Provence
⅛ l trockener Weißwein
100 g Maiskörner
(aus der Dose)
2 EL gehackte Petersilie

☐ Paprika waschen, halbieren und Stengelansätze sowie Samenkerne entfernen. Die Hälften in etwa 1½ cm große Würfel schneiden. Zwiebel und Knoblauch schälen, in Würfel schneiden und die Sardellen fein hakken.

☐ Das Öl in einer hochwandigen, beschichteten Pfanne erhitzen und Sardellen und Knoblauch darin anschwitzen. Nach und nach unter Rühren das Gemüse hinzufügen und bei mittlerer Hitze anbraten. Salzen und pfeffern und mit den Kräutern bestreuen. Mit Wein aufgießen und zugedeckt bei schwacher Hitze etwa 15–20 Minuten köcheln lassen, dabei gelegentlich umrühren.

☐ Die Maiskörner untermischen und alles bei starker Hitze noch einmal durchkochen lassen. Zum Schluß die Petersilie unterrühren.

Beilage zu kurzgebratenem Fleisch.

Pro Portion: 185 kcal

Überbackene Gemüse

Gemüse, das im Backofen gratiniert bzw. überbacken wird, erfreut sich immer größerer Beliebt-
heit. Es gibt kaum eine Gemüsesorte, die sich nicht
zum Überbacken eignet. Eine wichtige Rolle spielt
bei der Zubereitung von Gratins der Käse. Geeig-
nete Sorten sind Mozzarella, Emmentaler, der
pikante Greyerzer sowie Parmesan. Von Käse mit
geringerem Fettgehalt ist allerdings abzuraten, da
er schlecht schmilzt und leicht bitter wird. Auf
jeden Fall sollten Sie Käse immer frisch gerieben
verwenden.

ZUCCHINI-QUARK-GRATIN
(Foto links)

Für 4 Personen
750 g Zucchini
Salz
500 g Speisequark (20%)
3 Eier
4 EL gerösteter Sesam
3 Knoblauchzehen
Pfeffer aus der Mühle
frischgeriebene Muskatnuß
Fett für die Form

1. Die Zucchini auf einem Gurkenhobel schnell in dünne Scheiben schneiden.

2. Den Speisequark mit den Eiern und den gerösteten Sesamsamen gut verrühren.

☐ Die Zucchini waschen, vom Stengelansatz befreien und auf dem Gurkenhobel in feine Scheiben schneiden. In kochendem Salzwasser 1–2 Minuten blanchieren, eiskalt abschrecken und sehr gut abtropfen lassen.
☐ Den Backofen auf 220 °C vorheizen.
☐ Den Speisequark mit den Eiern und dem Sesam gut verrühren. Den Knoblauch schälen und dazudrücken. Mit Salz, Pfeffer und Muskat kräftig würzen. Die Zucchinischeiben zufügen und alles mischen.
☐ Eine Auflaufform einfetten, die Mischung hineinfüllen und die Oberfläche glattstreichen.
☐ Das Gratin auf der mittleren Schiene des Backofens 20–25 Minuten backen.
Pro Portion: 300 kcal

3. Die Zucchinischeiben unter die gewürzte Quarkmischung heben.

MANGOLD-PILZ-GRATIN

Für 4 Personen
1 kg Blattmangold oder Spinat
2 Schalotten
2 Knoblauchzehen
2 EL Butter
Salz
Pfeffer aus der Mühle
frischgeriebene Muskatnuß
4 mehligkochende Kartoffeln
Salzwasser
200 g Sahnegorgonzola
Fett für die Form
200 g gemischte Pilze (z. B. Shiitake, Austernpilze, Champignons)
2 gestrichene EL Mehl
⅜–½ l Gemüsebrühe
4 EL Sahne
einige frische Salbeiblättchen
geriebener Parmesan
einige Butterstückchen

☐ Blattmangold oder Spinat verlesen, grobe Stiele entfernen und gründlich waschen. Die feingehackten Schalotten und den durchgepreßten Knoblauch in 1 Eßlöffel mittelheißer Butter glasig dünsten. Mangold oder Spinat dazugeben und zugedeckt

4. Die Gemüse-Quark-Mischung in eine Auflaufform füllen.

zusammenfallen lassen. Anschließend auskühlen lassen und mit Salz, Pfeffer und Muskat würzen.
☐ Kartoffeln schälen und in nicht zu dünne Scheiben schneiden. In siedendem Salzwasser kurz überbrühen, kalt abschrecken und gut abtropfen lassen.
☐ Mangold oder Spinat lagenweise mit Kartoffelscheiben und gewürfeltem Sahnegorgonzola in eine gefettete feuerfeste Form schichten.
☐ Geputzte und fein geschnittene Pilze in der restlichen mittelheißen Butter andünsten. Mehl darüberstäuben und kurz mitdünsten. Mit heißer Brühe ablösen, die Sahne unterziehen, 7 Minuten köcheln lassen. Backofen auf 200 °C vorheizen.
☐ Die Sauce mit Salz, Pfeffer und feingeschnittenem Salbei würzen und über dem Gemüse verteilen. Geriebenen Käse und Butterstückchen darüberstreuen.
☐ Das Gratin in der Mitte des Backofens 20–30 Minuten überbacken.
Pro Portion: 464 kcal

CHINAKOHL ÜBERBACKEN

Für 4 Personen
2 kleine Chinakohl (ca. 800 g)
Salz
frischgeriebene Muskatnuß
2 EL Butter
1 EL Mehl
¼ l Milch
2 Frühlingszwiebeln
1 TL Dijon-Senf
Pfeffer aus der Mühle
1 Handvoll Haselnüsse

☐ Von den Kohlköpfen welke Blätter entfernen. Überstehenden Strunk abschneiden und dann kreuzweise einkerben. Waschen und abschütteln.
☐ In einem großen Topf ½ Liter Salzwasser mit einer Prise Muskat aufkochen. Chinakohl einlegen und leise köchelnd in 10 Minuten garen. Währenddessen den Chinakohl öfters umdrehen.
☐ Butter in einer Kasserolle erhitzen. Mehl darüberstäuben und anschwitzen, mit dem Schneebesen Milch einrühren und zu einer sämigen Sauce einkochen.
☐ Frühlingszwiebeln putzen, waschen und bis zum hellgrünen Schaft in Röllchen schneiden. Dann die Frühlingszwiebeln unter die Sauce mischen. Mit Senf, Pfeffer und Salz abschmecken.
☐ Den Backofen auf 200 °C vorheizen.
☐ Nüsse fein hacken. Kohl aus der Brühe nehmen und abtropfen lassen. In eine feuerfeste Form geben. Mit der Sauce übergießen und mit gehackten Nüssen bestreuen.
☐ Die Form in den Backofen stellen und auf der mittleren Schiene 10 Minuten überbacken.
Dieser Chinakohl paßt hervorragend zu kurzgebratenem Fleisch, aber auch zu Fisch-, Geflügel- und Wildgerichten.
Pro Portion: 195 kcal

GEMÜSE-REIS-GRATIN

Für 4 Personen
250 g Langkornreis
Salz
4 EL Pinienkerne oder
Cashewnüsse
2 EL Butter
500 g Broccoli
2 EL Öl
20 Perlzwiebeln
250 g Möhren
250 g Champignons
Pfeffer aus der Mühle
2 EL gemischte gehackte
Kräuter (Dill, Petersilie,
Kerbel, Schnittlauch)
MORNAYSAUCE
60 g Butter
40 g Mehl
¼ l Milch
¼ l Gemüsekochwasser
Salz
Pfeffer aus der Mühle
frischgeriebene Muskatnuß
5 EL Sahne
100 g Hartkäse (z. B. Gruyè-
re), frisch gerieben
3 Eigelb
Butter für die Form und für
Flöckchen

☐ Eine große Auflaufform dick mit Butter ausstreichen.

☐ Den Reis in reichlich Salzwasser in 10–12 Minuten gar kochen. Auf einen Durchschlag schütten und gut abtropfen lassen. Die Pinienkerne oder Cashewnüsse in einer Pfanne in 1 Eßlöffel Butter unter Schütteln hellgelb rösten. Unter den Reis mischen. Auf dem Boden der Auflaufform verteilen.

☐ Den gewaschenen Broccoli in Röschen zerteilen und 8 Minuten in Salzwasser nicht zu weich blanchieren. Auf einen Durchschlag schütten und abtropfen lassen.

☐ Die restliche Butter und das Öl in einer hochwandigen Pfanne erhitzen und die geschälten Zwiebelchen darin unter Schütteln hellgelb braten. Die Möhren putzen, in Scheiben schneiden und zu den Zwiebeln geben. 10 weitere Minuten dünsten lassen. Zum Schluß die gesäuberten und in Scheiben geschnittenen Pilze zu dem Gemüse in die Pfanne geben und 3 Minuten mitschmoren lassen. Mit Salz und Pfeffer abschmecken.

☐ Broccoli und Kräuter mit dem Gemüse in der Pfanne vermischen und über den Reis in der Form verteilen.

☐ Den Backofen auf 220°C vorheizen.

☐ Für die Mornaysauce die Butter in einer Kasserolle zerlassen, das Mehl hinzufügen und hellgelb rösten. Unter Rühren mit dem Schneebesen Milch und Gemüsewasser (oder nur ½ l Milch) aufgießen. Die Sauce 10 Minuten kochen lassen und mit Salz, Pfeffer und Muskat abschmecken. Die Sahne und den Käse hinzufügen. Den Topf vom Herd nehmen und die Sauce mit den Eigelben legieren. Über das Gemüse gießen und mit Butterflöckchen besetzen.

☐ Das Gratin auf der oberen Schiene im Backofen in 15–20 Minuten goldgelb überbacken.

Pro Portion: 810 kcal

MANGOLD GRATINIERT
(Foto unten)

Für 4 Personen
12 große Mangoldblätter
⅛ l Rinderbrühe
200 g Sahne
Salz
Pfeffer aus der Mühle
frischgeriebene Muskatnuß
120 g Parmesan, frisch gerieben
2 Eigelb

tip

Die Garzeiten der Mangold-stiele und -blätter sind sehr unterschiedlich, daher immer zuerst die Stiele garen und die Blätter eher nur erhitzen.

☐ Die Mangoldblätter waschen, die Stiele abschneiden und die Blätter sowie Stiele getrennt voneinander in feine Streifen schneiden.
☐ Die Rinderbrühe in einer Kasserolle zum Kochen bringen und die kleingeschnittenen Stiele darin kurz pochieren. 100 g Sahne dazugießen und um ein Drittel einkochen lassen. Die streifiggeschnittenen Blätter dazugeben, etwa 1 Minute mitgaren. Das Gemüse mit Salz, Pfeffer und Muskat würzen.
☐ Den Backofengrill vorheizen.
☐ Das Gemüse in eine feuerfeste Form geben und dick mit Parmesan bestreuen. Die Eigelbe und die restliche Sahne verquirlen und gleichmäßig über den Käse verteilen. Kurz unter dem Grill gratinieren.
Pro Portion: 310 kcal

OKRA-TOMATEN-GRATIN

Für 4 Personen
500 g Okra
3 Knoblauchzehen
1 Zwiebel
2 EL Sesamöl
1 kleine Dose geschälte Tomaten
2 Salbeiblätter
einige Rosmarinnadeln
1 Prise Oregano
Pfeffer aus der Mühle
Salz
100 g Mozzarella
20 g Sesam

☐ Stielansatz und Spitzen von den Okras entfernen. Okra halbieren und die Kerne entfernen. (Dies ist nur erforderlich, wenn Sie die schleimige Absonderung nicht mögen, die andererseits für eine Bindung des Gemüses sorgt.) Die Hälften in Scheiben schneiden. Knoblauch und Zwiebeln schälen und fein hacken.
☐ Das Öl in einem Topf erhitzen, Zwiebel und Knoblauch darin glasig braten und die Okrascheiben zugeben. Anbraten und die zerkleinerten Dosentomaten samt dem Saft dazugeben. Die Kräuter und Gewürze zugeben und das Gemüse 10 Minuten dünsten.
☐ Den Backofen auf 200°C vorheizen.
☐ Das Okra-Tomaten-Gemüse in eine feuerfeste Form geben und mit grob gewürfeltem Mozzarella und Sesam bestreuen. Im Backofen auf der mittleren Schiene 15–20 Minuten überbacken.
Pro Portion: 215 kcal

1. *Paprikaschoten entkernen, die Trennwände entfernen, und die Schoten würfeln.*

2. *Die eingeschnittenen Auberginen fächerförmig mit den Einschnitten nach oben in eine Auflaufform legen.*

3. *Zuerst Gemüsestückchen und Speck in die Auberginenschlitze stecken, dann das Ganze mit Mascarpone bestreichen.*

GRATINIERTE AUBERGINENFÄCHER

Für 4 Personen
4 mittelgroße Auberginen
Salz
4 Tomaten
Pfeffer aus der Mühle
2 EL gehackte Petersilie
2 TL gehacktes Basilikum
2 Knoblauchzehen
2 grüne Paprikaschoten
4 dünne Scheiben durchwachsener Speck
2 EL Olivenöl
5 Sardellenfilets
200 g Mascarpone
(ital. Frischkäse)

☐ Die Auberginen in Abständen von 5 mm so einschneiden, daß sie unten noch zusammenhängen. Mit Salz bestreuen und mit den Einschnitten nach unten in ein Salatsieb legen.

☐ Nach 30 Minuten mit kaltem Wasser abspülen, gut abtropfen lassen und mit Küchenpapier etwas trockentupfen.

☐ Die Tomaten in kochendes Wasser tauchen, häuten und in Scheiben schneiden. Mit Salz und Pfeffer, einem Eßlöffel Petersilie, Basilikum und dem durchgepreßten Knoblauch bestreuen. Die Paprikaschoten waschen, entkernen und in 2,5 cm große Würfel schneiden. Den Speck würfeln.

☐ Eine Auflaufform mit einem Eßlöffel Olivenöl fetten. Die Auberginen fächerförmig hineinlegen.

☐ Die Einschnitte in den Auberginen abwechselnd mit Tomatenscheiben, Speck und Paprikastücken füllen. Die Sardellenfilets hacken, darüber verteilen und mit Mascarpone bedecken. Das restliche Olivenöl darüber träufeln.

☐ Die Auberginen mit Alufolie abdecken und ca. 50 Minuten bei 200°C im Backofen schmoren. Die Folie entfernen und den Auflauf noch 10 Minuten überbacken.

☐ Die restliche Petersilie und viel Pfeffer darüber streuen und das Gericht in der Auflaufform auf den Tisch bringen.

Dazu paßt Risotto oder Weißbrot.

Pro Portion: 420 kcal

SHIITAKE-TOMATEN-GRATIN

(Foto unten)

Für 2 Personen

1 große Zwiebel

2 Knoblauchzehen

250 g Shiitakepilze

2 EL Olivenöl

Salz

Pfeffer aus der Mühle

2 große Fleischtomaten

1 TL Öl für die Form

½ TL abgezupfte Thymian-blättchen

1 EL gehackte Petersilie

1 EL Semmelbrösel

1 EL frischgeriebener Parmesan

☐ Den Backofen auf 220 °C vorheizen.

☐ Zwiebel und Knoblauch schälen und fein hacken. Die Pilze putzen, nur wenn nötig, kurz waschen ansonsten abreiben und dann größere Pilze halbieren oder vierteln.

☐ Das Öl in einer beschichteten Pfanne erhitzen und Zwiebel- und Knoblauchwürfel darin anschwitzen. Die Pilze dazugeben und kurz mitbraten. Mit Salz und Pfeffer würzen und von der Kochstelle nehmen.

☐ Die Fleischtomaten in kochendheißes Wasser tauchen, häuten und quer zum Stengelansatz in gleichmäßige Scheiben schneiden.

☐ Eine ovale Gratinform oder zwei Portionsformen mit Öl auspinseln. Abwechselnd Tomatenscheiben und Pilze dachziegelartig darin anordnen, dabei jeweils dazwischen Thymian und Petersilie streuen. Parmesan und Semmelbrösel vermischen und gleichmäßig darüberstreuen.

☐ Das Gratin auf der oberen Schiene des Backofens etwa 15 Minuten überbacken. Dazu Ofenkartoffeln mit Sauerrahm reichen oder als Beilage zu Lammkoteletts servieren.

Pro Portion: 165 kcal

SPARGEL MIT MORNAY-SAUCE GRATINIERT

Für 4 Personen

1,5 kg weißer Spargel

Salz

1 TL Zucker

60 g Butter

30 g Mehl

250 g Sahne

100 g geriebener Greyerzer

geriebene Muskatnuß

Pfeffer aus der Mühle

2 Eigelb

☐ Den Spargel schälen und in reichlich kochendem Wasser mit Salz, Zucker und 20 g Butter in 15 – 20 Minuten bißfest kochen.

☐ Für die Sauce die restliche Butter erhitzen, das Mehl dazugeben und aufschäumen lassen. Mit ¼ l Spargelbrühe und der Sahne aufgießen und etwa 10 Minuten bei schwacher Hitze unter Rühren kochen lassen. Den Käse untermischen und mit Salz, Muskat und frisch gemahlenem Pfeffer herzhaft abschmecken. Die Sauce von der Kochstelle nehmen und die Eigelbe untermischen.

☐ Den Backofengrill vorheizen.

☐ Die Spargelstangen gut abtropfen lassen, auf eine feuerfeste Platte legen und mit der Mornaysauce bedecken, die Köpfe sollen frei bleiben. Unter dem Grill in wenigen Minuten gratinieren.

Pro Portion: 518 kcal

KARTOFFELGRATIN

Für 4–6 Personen

1 kg Kartoffeln

Salz

Pfeffer aus der Mühle

frischgeriebene Muskatnuß

2 Knoblauchzehen

50 g geriebener Greyerzer Käse

60 g Butter

0,2 l Milch

125 g Sahne

Butter für die Form

———tip———

Man kann das Gratin abwandeln, indem man vorgedünstete Porreescheiben unter die Kartoffeln mischt. Oder Käse und Knoblauch weglassen und dünne Apfelscheiben zwischen die Kartoffelscheiben legen.

☐ Gleichmäßig große Kartoffeln schälen, waschen, abtrocknen und in dünne Scheiben schneiden.

☐ Eine flache Gratinform mit Butter ausstreichen, die Hälfte der Kartoffelscheiben hineinlegen. Salzen, pfeffern und den durchgepreßten Knoblauch darüber verteilen.

Mit der Hälfte des Käses und der Butter in Flocken bestreuen. Den Backofen auf 180°C vorheizen.

☐ Mit den restlichen Kartoffeln bedecken, würzen. (Das Gratin sollte nicht höher sein als ca. 4 cm).

☐ Die Milch mit der Sahne verrühren, mit Salz, Pfeffer und Muskatnuß würzen und über die Kartoffeln gießen. Zugedeckt (am besten mit Alufolie) im Backofen auf der mittleren Schiene backen.

☐ Nach 50 Minuten das Gratin mit Käse und den restlichen Butterflocken bestreuen und ca. 20 Minuten im Backofen auf der mittleren Schiene bei 220°C überbacken. Mit einer Gabel prüfen, ob die Kartoffeln gar sind. In der Form servieren.

Pro Portion: 430 kcal

1. Geschälte rohe Kartoffeln mit einem scharfen Messer in dünne Scheiben schneiden.

2. Die Kartoffelscheiben mit Salz, Pfeffer und Knoblauch würzen, mit Käse bestreuen.

□ Porree putzen, waschen und sehr fein hacken. In der mittelheißen Butter ca. 2 Minuten andünsten. Mehl darüberstäuben und kurz mitdünsten. Dann mit ⅛ l Blumenkohlsud und der restlichen Milch ablöschen. Sauce unter Rühren zur Hälfte einkochen lassen.

□ Käse klein würfeln, in die Sauce geben und bei kleiner Hitze schmelzen. Sardellenfilets gründlich abspülen, trockentupfen und fein hakken. Dann unter die Sauce mischen. Vorsichtig mit Salz und Pfeffer abschmecken.

□ Eigelb und Sahne mit wenig heißer Sauce verquirlen und unter die restliche Sauce rühren. Nochmals kurz erhitzen, aber auf keinen Fall mehr kochen lassen.

□ Den Backofen auf 200°C vorheizen.

□ Blumenkohl in eine gut gefettete feuerfeste Form setzen und mit Sauce darübergießen. Mit geriebenem Käse und Butterstückchen bestreuen. Das Gratin auf der mittleren Schiene im Backofen 15–20 Minuten überbacken.

Dazu Pellkartoffeln oder Baked Potatoes servieren.

Pro Portion: 441 kcal

TOMATEN PROVENÇALISCHE ART
(Foto oben)

Für 4 Personen

4–6 große feste Fleisch-tomaten

Salz

Pfeffer aus der Mühle

4–6 EL Brotbrösel

½ Bund glatte Petersilie

1 Zweig Thymian

2 gepreßte Knoblauchzehen

4 EL Olivenöl (extra vergine)

1 TL abgeriebene Orangen-oder Zitronenschale

Olivenöl für die Form

□ Die Tomaten waschen und Stielansätze entfernen. Waagrecht halbieren und Schnittflächen salzen und pfeffern.

□ Brotbrösel mit feingehackten Kräutern, gepreßtem Knoblauch, Olivenöl und Orangen- oder Zitronenschale vermischen.

□ Den Backofen auf 220°C vorheizen.

□ Die gewürzten Schnittflächen der Tomaten damit ca. ½ Zentimeter dick bestreichen.

□ Tomaten dicht nebeneinander in eine gut gefettete feuerfeste flache Form setzen. Auf der mittleren Schiene im Backofen 10–15 Minuten überbacken.

Heiß oder kalt zu gegrilltem Lamm oder Geflügel oder zu kaltem Braten und Siedefleisch servieren.

Pro Portion: 235 kcal

ÜBERBACKENER BLUMENKOHL MIT KÄSE-SARDELLEN-SAUCE

Für 4 Personen

1 großer Blumenkohl

Salzwasser

½ l Milch

1 kleine Stange Porree (nur Weißes)

1 EL Butter

1 TL Mehl

150 g Fontina (ital. Käse)

4 Sardellenfilets

Pfeffer aus der Mühle

2 Eigelb

6 EL süße Sahne

Fett für die Form

2 EL geriebener Parmesan

1 EL Butterflöckchen

□ Vom Blumenkohl Blätter und Strunk entfernen. Dann putzen und 30 Minuten in Salzwasser legen. Salzwasser mit 0,4 l Milch zum Kochen bringen. Blumenkohl (mit dem Strunk nach oben) hineingeben und in 20 Minuten knapp weich garen.

SPARGEL-TOAST MIT CAMEMBERT
(Foto unten)

Für 4 Personen
1 kg grüner Spargel
Salz
1 TL Zucker
50 g Butter
4 Scheiben Vollkorntoast
4 Scheiben gekochter
Schinken
200 g Camembert 45% i. d. Tr.
4 TL Preiselbeerkonfitüre

☐ Die Spargelstangen waschen und auf die Länge der Toastbrotscheiben kürzen. Dann in Salzwasser mit Zucker und 10 g Butter in etwa 15 Minuten weichkochen.

☐ Das Brot toasten, mit der restlichen Butter bestreichen und mit 1 Scheibe Schinken belegen. Den Spargel darauflegen und mit dem in dünnen Scheiben geschnittenen Camembert bedecken.

☐ Im vorgeheizten Grill überbacken. Jeweils 1 Teelöffel Preiselbeerkonfitüre daraufgeben und sofort heiß genießen.

Pro Portion: 510 kcal

CHICORÉE MIT MOZZARELLA ÜBERBACKEN
(Foto links)

Für 2 Personen
4 Chicorée (à 150 g)
Salz
2 Fleischtomaten
½ Bund Basilikum
100 g Mozzarella
10 g Butter für die Form
Pfeffer aus der Mühle

☐ Die Chicorée putzen und den bitteren Keil am Ende mit einem spitzen Messer kegelförmig herausschneiden. Die Chicorée etwa 8 Minuten in kochendem Salzwasser vorgaren.

☐ Den Backofen auf 220°C vorheizen.

☐ Die Tomaten blanchieren, häuten, entkernen und ohne Stengelansätze in kleine Würfel schneiden. Das Basilikum waschen, trockentupfen und feinstreifig schneiden. Die Mozzarella in kleine Würfel schneiden.

☐ Die Chicorée mit einem Schaumlöffel herausheben, gut abtropfen lassen und nebeneinander in eine gefettete Form legen. Mit Tomatenwürfeln, Basilikum und Käse bestreuen und mit Pfeffer würzen.

☐ Das Gratin auf der oberen Schiene des Backofens in 10–15 Minuten goldbraun überbacken.

Das Gericht wird gehaltvoller, wenn Sie die Chicorée noch zusätzlich in gekochten Schinken einhüllen.

Dazu Salzkartoffeln reichen.

Pro Portion: 205 kcal

ÜBERBACKENER RADICCHIO

Für 4 Personen

4 größere Köpfe Radicchio (ca. 800 g)

Salz

200 g Mascarpone (italienischer Frischkäse)

5 EL Zitronensaft

100 g Parmesan, frisch gerieben.

Pfeffer aus der Mühle

Fett für die Form

3 EL Pinienkerne

tip

Herzhafter und üppiger wird das Gratin, wenn Sie zusätzlich 150 g Salamistreifen auf den Radicchio streuen.

☐ Die Radicchioköpfe halbieren, vom Strunk befreien und waschen. In kochendem Salzwasser 3 Minuten blanchieren, eiskalt abschrecken und sehr gut abtropfen lassen.

☐ Den Mascarpone mit dem Zitronensaft gut verrühren, die Hälfte des Parmesans untermischen und mit Salz und Pfeffer würzen.

☐ Den Backofen auf 200 °C vorheizen.

☐ Eine Auflaufform einfetten. Die Radicchioköpfe mit der Schnittfläche nach oben hineinlegen, leicht salzen und pfeffern und mit der Mascarpone-Parmesan-Mischung bedecken. Den restlichen Parmesan und die Pinienkerne über die Radicchioköpfe in der Auflaufform streuen.

☐ Auf der mittleren Schiene des Backofens in 15–20 Minuten goldgelb überbacken. Als Beilage zu Schweinefilet und Rösti servieren.

Pro Portion: 340 kcal

1. Den Strunk aus dem Radicchio schneiden.

2. Mascarpone mit Zitronensaft und Parmesan mischen.

3. Die Radicchioköpfe in der Auflaufform mit der Mascarpone-Parmesan-Mischung bestreichen.

1. Das Fenchelgrün abschneiden, den Fenchel längs in Scheiben schneiden.

2. Den Fenchel in der Gratinform gleichmäßig mit dem Anisschnaps beträufeln.

3. Crème fraîche und Gouda mischen, den Roquefort zerbröckeln und dazugeben.

4. Die Käsemischung gleichmäßig auf dem Fenchelgemüse verteilen.

FENCHELGRATIN

Für 4 Personen
1 kg Fenchel
Salz
Fett für die Form
2 cl Anisschnaps
(z. B. Pernod)
200 g Crème fraîche
100 g mittelalter Gouda,
frisch gerieben
150 g Roquefort
Pfeffer aus der Mühle

☐ Den Fenchel vom Grün befreien, waschen, längs in schmale Streifen schneiden. Die Fenchelscheiben in kochendem Salzwasser 3–4 Minuten knackig garen. In einem Sieb abtropfen lassen.

☐ Den Backofen auf 200°C vorheizen.

☐ Eine Auflaufform einfetten und die Fenchelscheiben hineinlegen. Mit dem Anisschnaps beträufeln.

☐ Die Crème fraîche mit dem geriebenen Gouda mischen. Den Roquefort dazubröckeln und unterrühren. Mit Pfeffer würzen.

☐ Die Käsemischung gleichmäßig auf dem Fenchel verteilen. Auf der mittleren Schiene des Backofens in 15 Minuten goldgelb überbacken. Nach Belieben mit Fenchelgrün bestreuen. Auch Kohlrabi können so zubereitet werden.

Pro Portion: 525 kcal

tip

Üppiger wird das Gratin, wenn Sie gebratene Streifen von Putenbrust untermischen.

ZWIEBEL-KARTOFFEL-GRATIN

Für 4 Personen

300 g festkochende Kartoffeln

½ l trockener Weißwein

300 g Schalotten

50 g Butter

Salz

Pfeffer aus der Mühle

frischgeriebene Muskatnuß

300 g geriebener Greyerzer

125 g Sahne

Butter für die Form

☐ Die Kartoffeln schälen und in ca. 1 cm dicke Scheiben schneiden. In einen Kochtopf geben und mit soviel Weißwein angießen, daß die Kartoffelscheiben gerade bedeckt sind. Bei mittlerer Hitze 20 Minuten garen, anschließend abgießen.

☐ Schalotten schälen und in ca. ½ cm dicke Scheiben schneiden.

☐ Den Backofen auf 180°C vorheizen.

☐ Eine Auflaufform mit Butter ausstreichen und abwechselnd die Kartoffel- und Zwiebelscheiben hineinlegen. Mit Salz, Pfeffer und Muskat würzen, dem Käse bestreuen und die Sahne darübergießen. Die restliche Butter in kleinen Flöckchen gleichmäßig über Kartoffeln und Zwiebeln verteilen.

☐ Den Auflauf auf der mittleren Schiene in den Backofen geben und etwa 20 Minuten garen. Danach bei starker Oberhitze 3 Minuten gratinieren.

Pro Portion: 520 kcal

═══ *tip* ═══

Wenn Sie statt frischem Parmesan bereits geriebenen Käse verwenden möchten, sollten Sie diesen vor dem Gratinieren mit Butterflöckchen besetzen.

ÜBERBACKENE GRÜNE BOHNEN

(Foto oben)

Für 4 Personen

750 g junge, grüne Bohnen

Salz

1 Zwiebel

1 Knoblauchzehe

1 Handvoll Petersilie

3 EL Butter

Pfeffer aus der Mühle

60 g frischgeriebener Parmesan

☐ Die Bohnen waschen, an den Enden kappen, entfädeln und in leicht gesalzenem Wasser bei geringer Hitze in etwa 15 Minuten knapp weich garen.

☐ Zwiebel, Knoblauch und Petersilie putzen und fein hacken.

☐ Die Butter in einer großen Kasserolle schmelzen, Knoblauch und Zwiebel darin hell andünsten. Mit etwas Bohnenbrühe löschen und die Flüssigkeit einkochen, bis die Zwiebel ganz weich ist.

☐ Den Backofen auf 220°C vorheizen.

☐ Die Bohnen abgießen und mit der gehackten Petersilie in die Kasserolle geben. Dann das Bohnengemüse salzen und pfeffern und mit Parmesan bestreuen.

☐ Im Backofen 5–10 Minuten gratinieren.

Pro Portion: 212 kcal

SPINATNOCKEN MIT KÄSE GRATINIERT

Für 4 Personen
750 g junge Spinatblätter
Salz
250 g trockener Quark
3 Eigelb
2–3 EL feines Weizenvoll-kornmehl, frisch gemahlen
Salz
Pfeffer aus der Mühle
frischgeriebene Muskatnuß
200 g Emmentaler, frisch gerieben
Fett für die Form

☐ Den Spinat sorgfältig verlesen und gründlich waschen. Reichlich Salzwasser zum Kochen bringen, den Spinat darin 1 Minute blanchieren und auf einem Durchschlag abtropfen lassen. Dann gut ausdrücken und kleinhacken.

☐ Den Quark in eine Schüssel geben und mit Spinat, Eigelben und Mehl zu einer formbaren Masse verarbeiten. Mit Salz, Pfeffer und Muskat würzig abschmecken.

☐ Reichlich Salzwasser in einem großen Kochtopf zum Kochen bringen und den Grill vorheizen.

☐ Mit einem Eßlöffel aus der Spinatmasse Nocken formen und im leicht siedenden Salzwasser in 2–3 Minuten gar ziehen lassen. Mit einem Schaumlöffel herausheben, abtropfen lassen und nebeneinander in eine feuerfeste, gefettete Form legen. Die Nocken mit Käse bestreuen und unter dem Grill kurz gratinieren.

Beilage zu Fleischgerichten oder mit einer Käsesauce als warmes Zwischengericht.
Pro Portion: 415 kcal

BROCCOLI MAILÄNDER ART
(Foto oben)

Für 2 Personen
ca. 1 kg Broccoli
Salzwasser
4 Knoblauchzehen
2 EL Butter
3–4 Eier
Salz
Pfeffer aus der Mühle
frischgeriebene Muskatnuß
etwas Mehl zum Überstäuben
100 g geriebener Parmesan
Fett für die Form

☐ Broccoli putzen und in kleine Röschen teilen. Strunk schälen und in Scheiben schneiden. Die Broccoliröschen und Strunkscheiben im siedenden Salzwasser biß-fest garen. Herausnehmen, kalt abschrecken und gut abtropfen lassen.

☐ Gepreßten Knoblauch in der erhitzten Butter andünsten. Broccoli zufügen und mitdünsten.

☐ Eier mit Salz, Pfeffer und Muskat verquirlen. Broccoli mit Mehl überstäuben, zuerst im Ei und anschließend im geriebenen Käse wenden.

☐ Den Backofen auf 240 °C vorheizen.

☐ Den mit Käse umhüllten Broccoli in eine gut gefettete feuerfeste Form geben, restliches Ei darübergießen. Den Broccoli in der Auflaufform auf der oberen Schiene im Backofen 5–7 Minuten überbacken.
Pro Portion: 318 kcal

TOMATENGRATIN

Für 4 Personen
800 g Fleischtomaten
Fett für die Form
100 g Semmelbrösel
3 Knoblauchzehen
150 g Appenzeller, frisch gerieben
3 EL Olivenöl
1 TL Oregano, frisch oder getrocknet
Salz
Pfeffer aus der Mühle
1 Bund Basilikum

☐ Die Tomaten blanchieren, häuten und in Scheiben schneiden, dabei den Stengelansatz entfernen.

☐ Eine Auflaufform einfetten und den Boden schuppenartig mit den Tomatenscheiben auslegen.

☐ Die Semmelbrösel in eine Schüssel geben. Den Knoblauch schälen und dazudrücken. Den geriebenen Käse und das Olivenöl untermischen. Mit Oregano, Salz und Pfeffer würzen.

☐ Den Backofen auf 220°C vorheizen.

☐ Die Tomaten salzen, und pfeffern, das Basilikum abbrausen, trockentupfen, abzupfen und bis auf einige Blättchen auf den Tomaten verteilen. Die Semmelbrösel-Mischung gleichmäßig auf die Tomaten geben.

☐ Auf der mittleren Schiene des Backofens 20 Minuten gratinieren, bis der Käse schmilzt und die Oberfläche goldbraun ist. Mit dem restlichen Basilikum bestreut servieren.

Dazu ofenfrisches Weißbrot reichen oder als Beilage zu einer saftigen Lammkeule servieren.

Pro Portion: 320 kcal

1. Die Tomatenscheiben dachziegelförmig in die Auflaufform schichten.

2. Semmelbrösel mit zerdrücktem Knoblauch, geriebenem Käse und Öl mischen.

3. Die Semmelbröselmischung mit Basilikum, Salz und Pfeffer abschmecken.

4. Basilikumblätter auf die Tomaten legen, mit der Käsemischung bedecken.

1. Butter zerlassen, die Zwiebel darin andünsten und den Reis zufügen.

2. Den Reis mit der kochenden Fleischbrühe aufgießen und kochen, bis die Flüssigkeit aufgesogen ist.

3. Den gekochten Schinken in Streifen schneiden und zusammen mit dem Spargel in Butter durchschwenken.

4. Den Reis in eine Auflaufform füllen und mit der Schinken-Spargel-Mischung bedecken. Mit Sahnesauce übergießen und im Backofen gratinieren.

SPARGEL-REIS-GRATIN

Für 4 Personen
4 EL Butter
1 kleine Zwiebel
300 g Rundkornreis
1 l Fleischbrühe
150 g gekochter Schinken
500 g gekochte Spargel- abschnitte, frisch oder aus der Dose
250 g Sahne
4 Eier
4 EL frischgeriebener Parmesan
Salz
Pfeffer aus der Mühle
frischgeriebene Muskatnuß
Butter für die Form

☐ Eine Auflaufform mit Butter ausstreichen.

☐ Von der Butter 3 Eßlöffel in einem Topf zerlassen und die geschälte, in kleine Würfel geschnittene Zwiebel darin glasig braten. Den trockenen Reis hinzufügen und unter Rühren ebenfalls anrösten, bis er glasig ist. Nach und nach mit der kochenden Fleischbrühe aufgießen, der Reis soll ständig brodelnd kochen und zum Schluß alle Flüssigkeit aufgesogen haben.

☐ Den Backofen auf 220°C vorheizen.

☐ Den Schinken in Streifen schneiden und zusammen mit dem Spargel in 2 Eßlöffeln Butter durchschwenken.

☐ Die Sahne mit den Eiern, dem Parmesan, Salz, Pfeffer und Muskat gründlich verquirlen.

☐ Nach 20 Minuten Kochzeit den Risotto vom Herd nehmen und in die Auflaufform füllen. Mit der Schinken-Spargel-Mischung bedecken und die Sahnesauce darübergießen. Das Spargel-Reis-Gratin in der Auflaufform auf der mittleren Schiene im Backofen in 10—15 Minuten goldgelb gratinieren.
Pro Portion: 760 kcal

SPARGEL-SPINAT-GRATIN
(Foto unten)

Für 4 Personen
1 kg junger Spinat
Salz
1,5 kg weißer Spargel
1 TL Zucker
50 g Butter
150 g geriebener Schweizer Käse
100 g geriebener Parmesan
2 Eigelb
5 EL Sahne
Pfeffer aus der Mühle
frischgeriebene Muskatnuß

☐ Den Spinat verlesen und gründlich waschen. Reichlich Salzwaser zum Kochen bringen und die Spinatblätter darin portionsweise 4–5 Minuten kochen. Mit einem Schaumlöffel herausheben, in einem Sieb abtropfen lassen, ausdrücken und zum Trocknen auf ein Tuch legen.

☐ Die Spargelstangen schälen und in reichlich kochendem Wasser mit Salz, Zucker und 20 g Butter garen.

☐ Die beiden Käsesorten mit den Eidottern und Sahne zu einer Paste verrühren und herzhaft mit frisch gemahlenem Pfeffer und Muskat abschmecken.

☐ Den Backofen auf 220°C vorheizen.

☐ Eine große, längliche, feuerfeste Form mit etwas Butter ausstreichen und mit der Hälfte des Blattspinats auslegen. ⅓ der Käsecreme daraufstreichen und die gut abgetropften Spargelstangen darauf verteilen. Die Stangen, mit Ausnahme der Köpfe, mit einem weiteren Drittel der Käsemasse bestreichen und mit dem restlichen Spinat gleichmäßig bedecken.

☐ Den Rest der Käsemasse auf dem Spinat verteilen, mit der restlichen Butter in Flöckchen belegen. Im Backofen auf mittlerer Schiene ca. 10 Minuten überbacken. Dann den Grill zuschalten und auf der obersten Schiene noch kurz gratinieren.
Pro Portion: 417 kcal

ROSENKOHLGRATIN MIT SCHINKEN

Für 4 Personen
800 g Rosenkohl
frischgeriebene Muskatnuß
Salz
1 Zwiebel
2 EL Butter
4 Scheiben gekochter Schinken (300 g)
60 g Greyerzer
100 g Sahne
Pfeffer aus der Mühle

☐ Rosenkohl putzen und mit einer Prise Muskat in wenig Salzwasser 10 Minuten dünsten.

☐ Zwiebel schälen, hacken und in einer Pfanne mit Butter hell andünsten. Dann die Schinkenscheiben auf beiden Seiten erhitzen.

☐ Schinkenscheiben auf eine feuerfeste Platte legen. Die abgetropften Kohlröschen darauf verteilen.

☐ Den Backofen auf 200°C vorheizen.

☐ Den Käse raspeln. Die Sahne in die Pfanne mit der warmen Zwiebelsauce rühren und den Käse untermischen. Mit Pfeffer und wenig Salz abschmecken und gut verteilt über die Kohlplatte träufeln.

☐ Das Gratin auf der mittleren Schiene des Backofens in 15–20 Minuten backen und gratinieren.
Pro Portion: 448 kcal

KÜRBIS-GNOCCHI MIT TOMATENSAUCE
(Foto rechts)

Für 4 Personen
ca. 750 g Kürbis
250 g Ricotta (ital. Frischkäse)
150 g geriebener Parmesan
1 Ei
150–200 g Mehl
Salz
Pfeffer aus der Mühle
frischgeriebene Muskatnuß
Fett für die Form
einige Butterstückchen
SAUCE
500 g Fleischtomaten
1 EL Olivenöl
Salz
Pfeffer aus der Mühle
1 Bund Basilikum·

☐ Kürbis in Schnitze schneiden, Kerne entfernen. Auf ein mit Folie belegtes Backblech legen. In der Mitte des auf 170°C vorgeheizten Backofens ca. 50 Minuten backen (bis er richtig weich ist). Dann Schale entfernen und Kürbis pürieren. Mus in einem feinmaschigen Sieb gut abtropfen lassen (ergibt ca. 300 g).

☐ Kürbismus mit Ricotta, 75 g geriebenem Käse und Ei vermischen. Soviel Mehl beigeben, bis der Teig nicht mehr klebt, aber noch weich ist, würzen. Mit zwei Teelöffeln Klößchen formen und portionsweise in kochendem Salzwasser ziehen lassen. Sobald die Gnocchi an die Oberfläche steigen, mit einer Schaumkelle herausnehmen und in eine gefettete feuerfeste Form geben.

☐ Für die Sauce Tomaten kurz überbrühen, enthäuten, vierteln und entkernen. Fruchtfleisch in Würfel schneiden. Im heißen Öl kurz dünsten. Mit Salz, Pfeffer und geschnittenem Basilikum abschmecken.

☐ Den Backofen auf 220°C vorheizen.

☐ Sauce über die Gnocchi verteilen und den restlichen Reibkäse sowie einige But-

terstückchen darüberstreuen. Gnocchi in der Mitte des Backofens 15–20 Minuten überbacken.

Pro Portion: 659 kcal

Variante: Kürbis wie beschrieben garen und pürieren. 200–250 g Mehl, 2 verquirlte Eier und 3 Eßlöffel Sahne unter 300 g Kürbispüree mischen. Salzen und pfeffern. Gnocchi formen, in Salzwasser garen, herausnehmen und auf vorgewärmten Tellern anrichten.

½ Bund feingehackte gemischte Kräuter in 50 g Butter kurz dünsten, sofort über die Gnocchi verteilen. Viel geriebenen Parmesan darüberstreuen.

tip

Wenn Sie keinen frischen Ricotta bekommen, ersetzen Sie ihn durch gut abgetropften halbfetten Quark.

BLUMENKOHLGRATIN NIÇOISE

Für 4 Personen
ca. 1 kg Blumenkohl
Salzwasser
4–6 Scheiben getrocknetes
Stangenweißbrot
4–6 EL geriebener Parmesan
3–4 EL Olivenöl
Pfeffer aus der Mühle

☐ Blumenkohl putzen, in nicht zu kleine Röschen teilen. In siedendem Salzwasser kurz überbrühen. Herausnehmen, kalt abschrecken und gut abtropfen lassen.

☐ Getrocknete Brotscheiben in eine Plastiktüte geben und mit dem Nudelholz zerdrücken.

☐ Blumenkohl in eine feuerfeste, flache Form geben. Brotbrösel und geriebenen Käse vermischen.

☐ Den Backofen auf 220°C vorheizen.

☐ Öl über das Gemüse träu-

feln, dann das Brösel-Gemisch darüber verteilen. Mit Pfeffer aus der Mühle würzen.

☐ Das Gratin auf der mittleren Schiene im Backofen 10 bis 15 Minuten überbacken.

Pro Portion: 217 kcal

MÖHRENGRATIN MIT SAHNEGORGONZOLA

Für 4 Personen
750 g Möhren
2 Bund Schnittlauch
300 g geräucherte Putenbrust in Scheiben
Fett für die Form
250 g Sahnegorgonzola

☐ Die Möhren schälen und längs vierteln. Knapp mit Wasser bedeckt 20 Minuten dünsten.

☐ Den Schnittlauch abbrausen und kleinschneiden. Die Putenbrust in schmale Streifen schneiden.

☐ Eine feuerfeste Form einfetten und den Backofen auf 220°C vorheizen.

☐ Die Möhren aus dem Wasser nehmen, gut abtropfen lassen und in die Form legen. Schnittlauch und Putenbruststreifen zwischen die Möhren streuen. Den Sahnegorgonzola in Flocken obenaufsetzen und das Gratin im Backofen auf der mittleren Schiene 25 Minuten überbacken.

Dazu passen neue Kartoffeln.

Pro Portion: 390 kcal

SPINAT MIT MOZZA-RELLA ÜBERBACKEN

(Foto unten)

Für 4 Personen
750 g tiefgekühlter Blattspinat, aufgetaut
1 mittelgroße Zwiebel, fein gehackt
2 EL Butter
Salz
Pfeffer aus der Mühle
frischgeriebene Muskatnuß
4 Eier
2 Kugeln Mozzarella (à 150 g)

☐ Den Spinat etwas ausdrücken und mit den Zwiebelwürfeln in einem Eßlöffel Butter 10 Minuten dünsten. Mit Salz, Pfeffer und Muskat würzen. Abkühlen lassen, bis der Spinat lauwarm ist.

☐ Die Eier verquirlen und unter den Spinat mischen.

☐ Den Backofen auf 200°C vorheizen.

☐ Eine Auflaufform mit der restlichen Butter einfetten. Die Spinat-Eier-Mischung hineinfüllen.

☐ Die Mozzarella in Scheiben schneiden und dachziegelartig auf den Spinat legen, pfeffern und salzen.

☐ Im Backofen auf der mittleren Schiene 20 Minuten überbacken, bis der Käse geschmolzen ist und die Eier gestockt sind. Gleich heiß aus dem Ofen servieren.

Pro Portion: 360 kcal

=====*tip*=====

Sie können zusätzlich in Streifen geschnittene Mortadella (ca. 250 g) unter den Spinat mischen.

ZUCCHINITOAST ÜBERBACKEN
(Foto unten)

Für 4 Personen
3 kleine Zucchini
2 EL Sonnenblumenöl
3 Tomaten
2 Salbeiblätter
8 Scheiben Vollkorntoast
Pfeffer aus der Mühle
Salz
8 Scheiben Emmentaler

☐ Die Zucchini waschen, Blüten- und Stielansatz entfernen und längs in dünne Scheiben schneiden.
☐ Öl in einer Pfanne erhitzen und die Zucchinischeiben darin etwa 5 Minuten bei schwacher Hitze andünsten.
☐ Die Tomaten waschen, den Stielansatz entfernen, in Scheiben schneiden. Salbei waschen, trockentupfen und kleinhacken. Den Backofen auf 180 °C vorheizen.
☐ Die Zucchinischeiben auf den Toastscheiben verteilen, mit Tomatenscheiben belegen, mit Salbei, Pfeffer und Salz würzen, zum Schluß mit dem Käse bedecken.
☐ Toastscheiben auf ein mit Backpapier belegtes Blech legen und solange überbakken, bis der Käse geschmolzen ist. Sofort servieren.
Pro Portion: 550 kcal

ÜBERBACKENER SPAGHETTIKÜRBIS

Für 4 Personen
2 Spaghettikürbisse
(ca. 1,2 kg)
Salz
Fett für die Form
100 g Mascarpone mit
Gorgonzola (Sahnegorgonzola)
50 g geriebener Parmesan
Pfeffer aus der Mühle

☐ Spaghettikürbis im ganzen in reichlich siedendem Salzwasser in ca. 1 Stunde knapp weich garen. Dann längs halbieren und Kerne entfernen. Fruchtfleisch mit einer Gabel (in der Längsrichtung) lockern und herauslösen.
☐ Die Kürbisschalen in eine gefettete, feuerfeste Form geben. Oder auf ein beschichtetes Backblech setzen. Die Gemüsespaghetti locker in die Schale füllen.
☐ Den Backofen auf 240 °C vorheizen.
☐ Mascarpone mit geriebenem Parmesan vermischen und pfeffern. Stückchenweise auf dem Gemüse verteilen. Sofort auf der oberen Schiene des Backofens überbacken.
Pro Portion: 271 kcal

_____*tip*_____

Mit Salzkartoffeln ein wohlschmeckendes und sättigendes Essen, bei dem niemand Fleisch vermissen wird.

_____*tip*_____

Die Käsemasse mit durchgepreßtem Knoblauch abschmecken.

PORREEGRATIN MIT ÄPFELN

Für 4 Personen
4 mittelgroße Stangen Porree
2 säuerliche Äpfel, z. B.
Gravensteiner
4 EL Traubenkernöl
Salz
Pfeffer aus der Mühle
200 g Sonnenblumenkerne
200 g Magerquark
200 g Sahne
6 Eier
frischgeriebene Muskatnuß
Fett für die Form

□ Von den Porreestangen die Wurzeln und das harte grüne Ende entfernen. Die Stangen mitsamt dem grünen Teil in feine Ringe schneiden, waschen und auf einem Durchschlag abtropfen lassen. Die Äpfel schälen und auf der groben Seite der Rohkostreibe raspeln.
□ Den Backofen auf 200°C vorheizen.
□ Das Öl in einer Pfanne erhitzen und den Porree bei mittlerer Hitze darin anschwitzen, würzen und die Äpfel untermischen.
□ Die Sonnenblumenkerne in einer beschichteten Pfanne trocken rösten.
□ Quark, Sahne und Eier miteinander verrühren mit Salz, Pfeffer und Muskat würzig abschmecken.
□ Die Porree-Apfel-Mischung in eine große, gefettete Auflaufform füllen, mit den Sonnenblumenkernen bestreuen und mit der Quarkmasse begießen. Auf der mittleren Schiene im Backofen in 35–40 Minuten goldbraun backen.
Pro Portion: 780 kcal

1. Die Porreescheiben in einer Pfanne andünsten, danach die Äpfel zufügen.

2. Die Sonnenblumenkerne ohne Öl in einer heißen Pfanne unter Rühren rösten.

PAPRIKAGEMÜSE ÜBERBACKEN

Für 4 Personen

5 Knoblauchzehen

2 Zwiebeln

4 EL Distelöl

je 2 rote und grüne Paprika-schoten

2 Fleischtomaten

4 Eier

2 EL gehackte Petersilie

2 EL Crème fraîche

Pfeffer aus der Mühle

Salz

☐ Die Knoblauchzehen und die Zwiebeln schälen, 1 Knoblauchzehe ganz lassen, die übrigen samt den Zwiebeln fein hacken. Mit der ganzen Knoblauchzehe eine feuerfeste Form ausreiben. Das Öl darin erhitzen und die Zwiebeln glasig braten, den gehackten Knoblauch zugeben und kurz mitbraten.

☐ Die Paprikaschoten halbieren, Kerne, Scheidewände und Stielansätze entfernen, die Hälften in feine Streifen schneiden. Die Tomaten heiß überbrühen, abziehen, halbieren und entfernen. Die Stielansätze entfernen, die Hälften in kleine Würfel schneiden. Paprikastreifen und Tomatenwürfel in die Pfanne geben, 10–12 Minuten mitschmoren.

☐ Den Backofen auf 220°C vorheizen.

☐ Eier, Petersilie und Crème fraîche aufschlagen, mit Pfeffer und Salz würzen und über das Gemüse gießen.

☐ Die Form auf die mittlere Schiene des Backofens stellen und das Gemüse 10–15 Minuten überbacken.

Pro Portion:·235 kcal

KARTOFFELPÜREE MIT KÄSE ÜBERBACKEN
(Foto oben)

Für 4 Personen

1 kg mehligkochende Kartoffeln

Salz

¼ l Milch

4 EL Butter

frischgeriebene Muskatnuß

3 Eier

2 EL Meerrettich

300 g Emmentaler oder Gouda, frisch gerieben

Butter für die Form

☐ Die Kartoffeln schälen und in kleine Würfel schneiden. Die Kartoffelwürfel in einen Topf geben, knapp mit Wasser bedecken, salzen und in 15 Minuten weich kochen.

☐ Das Wasser abgießen und bei weiterer Hitzezufuhr den Topf schütteln, bis die Kartoffeln ganz trocken sind. Die Milch in einem großen Topf erhitzen und die Kartoffelwürfel durch die Kartoffelpresse in die heiße Milch drücken. Mit einem Schneebesen schlagen, bis eine sahnige Masse entsteht. Die Butter in Flöckchen unter das Püree rühren. Mit Salz und Muskatnuß abschmecken.

☐ Die Eier, den Meerrettich und 250 g Käse mit dem Kartoffelpüree vermischen.

☐ Eine Auflaufform einfetten. Den Backofen auf 200°C vorheizen.

☐ Die Kartoffelmasse in einen Spritzbeutel füllen und in die Auflaufform spritzen. Mit dem restlichen Käse bestreuen.

☐ Auf der mittleren Schiene des Backofens in 20 Minuten goldbraun backen.

Beilage zu gebratenen Fisch- oder Fleischgerichten oder als vegetarisches Gericht mit Salat.

Pro Portion: 685 kcal

CHAMPIGNONGRATIN MIT SCHINKEN

Für 4 Personen

800 g frische Champignons

100 g Schalotten

100 g Schinken

2 EL Butter

Salz

Pfeffer aus der Mühle

200 g Sahnequark

2 Eigelb

Muskatnuß

2 EL feingeschnittener Schnittlauch

☐ Die Champignons putzen, waschen und in Scheiben schneiden.

☐ Die Schalotten schälen und klein hacken. Den Schinken grob würfeln.

☐ Die Butter in einer Pfanne zerlassen. Die gehackten Schalotten in der Butter glasig dünsten. Die Champignons und den Schinken zugeben und nur kurz andünsten. Dann mit Salz und Pfeffer würzen.

☐ Den entstandenen Saft in ein Pfännchen gießen. Den Saft auf 3 Eßlöffel einkochen lassen.

☐ Den Quark und die verquirlten Eigelbe mischen und mit Salz, Pfeffer und Muskatnuß pikant abschmecken. Den Backofen auf 250 °C vorheizen.

☐ Mit der eingekochten Pilzflüssigkeit und der übrigen Flüssigkeit aus der Pfanne mit den Champignons verrühren.

☐ Die Pilze in eine gebutterte Auflaufform geben. Die Quarkmischung darüber verteilen und im Backofen auf der mittleren Schiene 5–7 Minuten überbacken.

☐ Mit Schnittlauch bestreuen und in der Form auf den Tisch bringen.

Pro Portion: 240 kcal

Gemüse-
aufläufe
und Gemüse-
kuchen

Herzhafte Aufläufe und Kuchen mit Gemüse haben einen ganz klaren Vorteil gegenüber anderen Gemüsegerichten: Sie lassen sich in der Regel sehr gut vorbereiten und garen ohne Umrühren in aller Ruhe im Ofen. Gemüsekuchen passen darüber hinaus aufs kalte Büffet, sind picknickgerecht und kommen beim Bürofest immer an.

WIRSING-MAIS-AUFLAUF
(Foto links)

Für 4 Personen
¼ l Vollmilch
50 g Maisgrieß
Salz
Pfeffer aus der Mühle
½ mittelgroßer Wirsingkohl
(400 g geputzt gewogen)
1 Gemüsezwiebel
3 EL Traubenkernöl
200 g Maiskörner (aus der Dose)
4 Eier, getrennt
200 g Joghurt
Fett und Semmelbrösel für die Form

1. Den Maisgrieß unter ständigem Rühren langsam in die heiße Milch einrieseln lassen.

3. Eine Auflaufform gut ausfetten und mit Semmelbröseln ausstreuen.

□ Die Milch zum Kochen bringen und unter Rühren den Maisgrieß einrieseln lassen. Mit Salz und Pfeffer würzen und bei schwacher Hitze in 30 Minuten ausquellen lassen, dabei immer wieder umrühren.

□ Den geputzten Wirsing und die geschälte Zwiebel in feine Streifen schneiden. Das Traubenkernöl in einer Pfanne erhitzen und die Gemüsestreifen darin bei mittlerer Hitze anschwitzen. Die abgetropften Maiskörner hinzufügen und mit Salz und Pfeffer würzen.

□ Den Backofen auf 200°C vorheizen.

□ Die Eigelbe und den Joghurt unter die Maisgrießmasse rühren und das Gemüse untermischen. Die Eiweiße mit einer Prise Salz zu steifem Schnee schlagen und locker unterziehen.

□ Eine Auflaufform einfetten und mit Semmelbrösel ausstreuen. Die Auflaufmasse einfüllen und auf der mittleren Schiene 25–30 Minuten backen.

Dazu paßt eine Kräutersauce.

Pro Portion: 380 kcal

2. Steifgeschlagenes Eiweiß unter die Gemüse- und die Mais-Joghurt-Masse heben.

4. Die Auflaufmasse auf der mittleren Schiene ungefähr 30 Minuten im Ofen backen.

ZWIEBELFLAN MIT ZUCCHINI UND SPECK

200 g kleine Zucchini
500 g Schalotten
150 g magerer Räucherspeck
Salz
Pfeffer aus der Mühle
Kümmel
Cayennepfeffer
4 Eier
250 g Sahne
100 g geriebener Greyerzer
1 EL Sonnenblumenöl
Fett für die Auflaufform

□ Die Zucchini waschen, an den Enden abschneiden und der Länge nach halbieren. Kerngehäuse mit einem spitzen Löffel herauskratzen, dann die Zucchini in dünne Stifte schneiden. Die Schalotten schälen und in dünne Scheiben schneiden. Eine Schalotte beiseite legen.

□ Den Speck würfeln und in einer Pfanne glasig dünsten. Die Zwiebelscheiben und die Zucchinistreifen zufügen und mit Salz, Pfeffer, Kümmel und etwas Cayennepfeffer nach Geschmack würzen. 15 Minuten dünsten.

□ Den Backofen auf 220°C vorheizen.

□ Eier, Sahne und Käse verquirlen und mit Salz und Pfeffer würzen.

□ Die Zwiebelmasse in eine leicht eingefettete Auflaufform füllen, die Eiermasse darübergießen und im Backofen auf der mittleren Schiene 30 Minuten goldgelb überbacken.

□ Die zurückbehaltene Schalotte schälen, in Ringe schneiden und in einer Pfanne mit wenig Öl goldbraun anbraten. Den fertigen Zwiebelflan damit garnieren.

Pro Portion: 630 kcal

OFENSCHLUPFER MIT MÖHREN UND SPECK

Für 4 Personen
4 altbackene Brötchen
750 g Möhren
2 Zwiebeln
2 Knoblauchzehen
250 g durchwachsener Speck
1 EL Öl
Salz
2 Bund Petersilie
1 EL Butter für die Form
Pfeffer aus der Mühle
frischgeriebene Muskatnuß
⅜ l Milch
125 g Mascarpone
4 Eier

□ Die Brötchen in dünne Scheiben schneiden. Die Möhren schälen und grob raspeln. Die Zwiebeln und den Knoblauch schälen und fein hacken.

□ Den Speck von der Schwarte befreien und klein würfeln. Das Öl in einer großen Pfanne erhitzen. Den Speck zufügen und etwas auslassen. Möhren, Zwiebeln und Knoblauch untermischen, salzen und 10 Minuten dünsten.

□ Die Petersilie abbrausen, von den Stengeln zupfen und grob hacken. Unter das Gemüse mischen.

□ Den Backofen auf 200°C vorheizen.

□ Eine feuerfeste Form einfetten. Die Semmelscheiben schuppenartig einlegen und dazwischen das Gemüse verteilen. Salzen, pfeffern und mit Muskat würzen.

□ Milch, Mascarpone und Eier verquirlen, darübergießen und im vorgeheizten Backofen 40 Minuten backen. Gleich heiß servieren.

Dazu paßt gemischter Blattsalat.

Pro Portion: 860 kcal

SPINAT-KNOBLAUCH-TORTE

Für 4 Personen
TEIG
300 g Vollkornweizenmehl
80 g Butter
Salz
FÜLLUNG
500 g Spinat
Salz
3 Schalotten
5 Knoblauchzehen
1 EL gehackte Petersilie
60 g Butter
2 Tassen Milch (ca. 0,2 l)
Pfeffer aus der Mühle
50 g frischgeriebener Gouda
100 g Quark
100 g Crème fraîche
2 Eier, getrennt
AUSSERDEM
Butter für die Form
1 Eigelb zum Bestreichen

☐ Für den Teig 275 g Mehl mit der weichen Butter, Salz und etwas Wasser zu einem geschmeidigen Teig verkneten. In Folie einwickeln und 30 Minuten kühl stellen.

☐ Den Spinat verlesen, waschen, aber nicht abtropfen lassen. Mit etwas Salz in einen Topf geben, erhitzen und zusammenfallen lassen. Abtropfen lassen.

☐ Schalotten und Knoblauchzehen schälen, fein hacken und mit der Petersilie in 30 g Butter anbraten. Spinat zufügen.

☐ Die restliche Butter erhitzen, das restliche Mehl darin anschwitzen, die Milch unter Rühren angießen. Die Sauce 7 Minuten kochen lassen, mit Salz und Pfeffer würzen. Etwas abkühlen lassen.

☐ Die Spinatmischung zusammen mit dem geriebenen Käse in die Sauce rühren. Quark und Créme fraîche zufügen. Eigelb unterrühren, Eiweiß zu steifem Schnee schlagen, unterheben. Nochmals mit Pfeffer und Salz abschmecken.

☐ Den Backofen auf 200°C vorheizen.

☐ Zwei Drittel des Teiges zu einer Platte ausrollen. Eine gefettete Springform mit ca. 24 cm Durchmesser damit auslegen. Den Rand hochdrücken und den Teig mehrmals mit einer Gabel einstechen. Spinatmasse darauf verstreichen.

☐ Den restlichen Teig ausrollen und Streifen daraus schneiden, die gitterförmig über die Torte gelegt werden. Mit Eigelb bestreichen.

☐ Torte in den unteren Teil des Backofens setzen und 45 Minuten backen.
Pro Portion: 750 kcal

Für diese köstliche Torte sollte unbedingt frischer Blattspinat verwendet werden. Frischer Spinat ist knackig und von dunkelgrüner Farbe.

ARTISCHOCKEN-PASTETE

Für 4 Personen
300 g tiefgekühlter Blätterteig
8 kleine lila Artischocken
1 mittelgroße Zwiebel
1 Möhre
2 Knoblauchzehen
250 g Champignons
5 EL Olivenöl
3 reife Tomaten
1 Zweig Thymian
2 EL Weißwein
Salz
Pfeffer aus der Mühle
3 hartgekochte Eier
AUSSERDEM
Mehl zum Ausrollen
verquirltes Eigelb oder Milch
zum Bestreichen
2 Eigelb
1 EL Zitronensaft
4 EL Weißwein

Die Hälfte des Artischocken-gemüses in die Auflaufform füllen und mit Eierscheiben belegen.

☐ Den Blätterteig 20 Minuten auftauen lassen.

☐ Die Artischocken gründlich waschen. Mit einem rostfreien Messer oder einer Schere die unschönen äußeren Blätter und die kleinen harten Blätter am Stielende abschneiden. Den Stiel kürzen. Die Artischocken vierteln und sofort in kaltes Wasser legen.

☐ Die geschälte Zwiebel und geputzte Möhre in Streifen schneiden. Knoblauch abziehen, Champignons putzen, beides in Scheiben schneiden.

☐ Das Olivenöl in einem emaillierten Topf oder einem Edelstahltopf erhitzen. Zwiebel- und Möhrenstreifen darin anbraten, Knoblauch und die Artischocken hinzufügen. Unter Umrühren anbraten, dann die Champignons zu dem Gemüse geben. Alles weitere 5 Minuten schmoren lassen.

☐ Die Tomaten blanchieren, häuten und in Achtel schneiden, dabei Kerne und Stengelansätze entfernen. Zu dem Gemüse geben und den Thymian hinzufügen. Den Wein aufgießen und das Gemüse zugedeckt weitere 10 Minuten schmoren lassen. Mit Salz und Pfeffer abschmecken.

☐ Den Backofen auf 200°C vorheizen.

☐ Den Blätterteig auf einer bemehlten Fläche ausrollen. Einen 60 cm langen Streifen in Höhe der Auflaufform schneiden und den Rand der mit kaltem Wasser ausgespülten Form damit auslegen. Von dem restlichen Teig einen Teigdeckel in der Größe der Auflaufform ausschneiden sowie einen fingerbreiten Streifen. In den Teigdeckel links und rechts ein pfenniggroßes Loch schneiden.

☐ Die Hälfte des Artischokkengemüses in die Form füllen und mit den in Scheiben geschnittenen Eiern bedecken. Das restliche Artischokkengemüse darüberfüllen und den Teigdeckel auf die Form legen. Den Rand des Teiges mit dem ausgeschnittenen Streifen belegen, so daß die Pastete ganz verschlossen ist. Den Teig mit verquirltem Eigelb oder Milch bestreichen.

☐ Die Pastete im Backofen auf der mittleren Schiene in 40 Minuten goldgelb backen. Dann etwas abkühlen lassen. Die Eigelbe mit dem Zitronensaft verrühren. Den Weißwein erwärmen und unter Rühren zufügen. Die Masse durch die Löcher im Teigdeckel in die Artischockenpastete gießen.

☐ Die Pastete erst bei Tisch anschneiden.

Dazu paßt gemischter Blattsalat aus Feldsalat, Rucola, jungem Spinat und Löwenzahn.

Pro Portion: 630 kcal

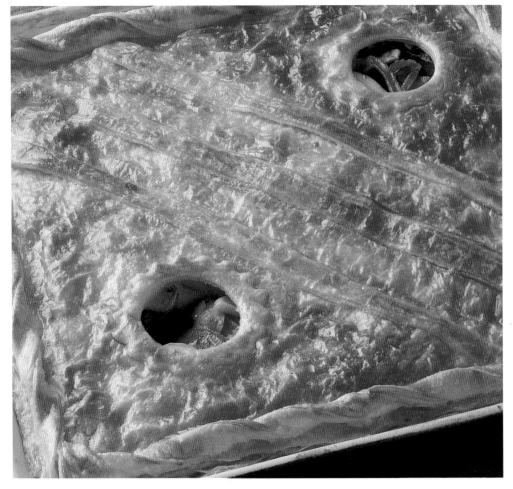

☐ Die Kartoffeln waschen und in Wasser gar kochen. Dann abgießen, pellen und auf der groben Seite der Rohkostreibe raffeln.

☐ Vom Rosenkohl die äußeren welken Blätter entfernen, die Strünke kreuzweise einschneiden und waschen.

☐ Das Öl in einem Topf erhitzen und den Rosenkohl tropfnaß darin andünsten. Salzen, mit dem Wasser aufgießen und das Gemüse in ca. 20 Minuten gar dünsten.

☐ Die geschälte Zwiebel in Würfel schneiden. 1 Eßlöffel Butter in einer Pfanne zerlassen und die Zwiebelwürfel darin mit der Petersilie anschmoren. Das Kasseler in Streifen schneiden und in der restlichen Butter anrösten. Den Rosenkohl zu dem Fleisch geben und kurz durchschwenken.

☐ Den Backofen auf 200 °C vorheizen.

☐ Die Eier mit Salz und Muskatnuß verquirlen. Die Eiermischung mit den Zwiebelwürfeln, den Kartoffeln und der Hälfte des Käses vermischen.

☐ Eine Auflaufform einfetten und die Hälfte der Kartoffeln hineingeben. Den Rosenkohl auf die Kartoffelschicht geben und mit den restlichen Kartoffeln bedecken. Den Eier-Käse-Guß darübergießen und den restlichen Käse darauf verteilen. Den Auflauf im Backofen auf der mittleren Schiene in 30 Minuten goldbraun backen.

Beilage zu knusprigen Braten oder Pfannengerichten.

Pro Portion: 610 kcal

Die gekochten Kartoffeln auf der groben Seite einer Rohkostreibe raffeln.

ROSENKOHL-KARTOFFEL-AUFLAUF

Für 4 Personen

1 kg festkochende Kartoffeln
750 g Rosenkohl
3 EL Olivenöl
Salz
⅛ l Wasser
1 kleine Zwiebel
3 EL Butter
1 EL gehackte Petersilie
100 g Kasseler
3 Eier
frischgeriebene Muskatnuß
100 g geriebener Gruyère
Butter für die Form

tip

Dieses Gericht läßt sich gut vorbereiten. Man braucht es dann nur noch in den Backofen zu schieben, wenn Sie z. B. Gäste erwarten.

GEMÜSESTRUDEL

Für 4–6 Personen

STRUDELTEIG

250 g Mehl

1 TL Salz

1 Ei

2 EL Sonnenblumenöl

knapp 0,1 l (ca. 5 EL) Wasser

FÜLLUNG

½ kg Broccoli

½ kg Romanesco

250 g Spinat

Salzwasser

250 g Schalotten

1 EL Butter

2 Knoblauchzehen

½ Bund Basilikum

Salz

Pfeffer aus der Mühle

frischgeriebene Muskatnuß

250 g Mozzarella

50 g Pinienkerne

50 g geriebener Parmesan

100 g zerlassene Butter

Mehl zum Ausrollen

AUSSERDEM

3–4 Fleischtomaten

½ Bund Basilikum

☐ Mehl und Salz vermischen. Eier, Öl und Wasser verquirlen. Zum Mehl geben und während ca. 5 Minuten zu einem geschmeidigen glatten Teig verkneten.

☐ Den Teig mit einem feuchten Tuch bedecken und etwa 1 Stunde ruhen lassen.

☐ Für die Füllung Broccoli und Romanesco in kleine Röschen zerteilen. Spinat waschen, verlesen und grobe Stiele entfernen. Gemüse nacheinander in siedendem Salzwasser kurz überbrühen. Mit einem Schaumlöffel herausnehmen und gut abtropfen lassen.

☐ Feingehackte Schalotten in der mittelheißen Butter glasig dünsten. Gut abgetropftes Gemüse (besonders Spinat) zufügen und kurz mitdünsten. Dann mit gepreßtem Knoblauch, geschnittenem Basilikum, Salz, Pfeffer und Muskat abschmecken. Auskühlen lassen.

☐ Mozzarella abtropfen lassen. Sehr fein würfeln. Mit gerösteten Pinienkernen und geriebenem Käse vermischen. Salzen und pfeffern.

☐ Strudelteig mit zerlassener Butter bepinseln. Auf einem leicht bemehlten Küchentuch möglichst dünn ausrollen. Dann mit den Händen von der Mitte her ausziehen. Dicke Ränder abschneiden. Ausgezogenen Teig wieder mit Butter bepinseln.

☐ Den Backofen auf 200°C vorheizen.

☐ Zuerst Mozzarella-, dann Gemüsefüllung auf der unteren Teighälfte verteilen. Strudel mit Hilfe des Küchentuches einrollen. Mit der Naht nach unten auf ein Backblech legen.

☐ Mit Butter bestreichen, auf der unteren Schiene im Backofen 30–35 Minuten backen. Zwischendurch mit Butter bepinseln.

☐ Tomaten kurz überbrühen, enthäuten, halbieren und entkernen. In kleine Würfel schneiden. Mit Salz, Pfeffer und geschnittenem Basilikum würzen. Zum warmen Strudel servieren.

Ergibt 12 Stücke

Pro Portion: 294 kcal

---
tip

Schmeckt auch gut: Statt Spinat grünen Spargel verwenden. Wenn es schnell gehen soll, verwenden Sie fertiggekauften Strudel- oder Blätterteig.

SPARGEL-KÄSE-AUFLAUF

Für 4 Personen

500 g Bruchspargel

Salz

½ TL Zucker

150 g tiefgekühlte Erbsen

4 Scheiben Toastbrot

⅛ l heiße Milch

100 g Butter

4 Eigelb

Pfeffer aus der Mühle

abgeriebene Schale von

½ unbehandelten Orange

100 g geriebener Emmentaler

oder Greyerzer

½ Bund Petersilie

4 Eiweiß

30 g Butter für die Form und

zum Belegen

☐ Den Spargel schälen, holzige Teile entfernen und die Stangen in Stücke schneiden. In reichlich kochendem Wasser mit Salz und Zucker etwa 5 Minuten vorgaren.

☐ Die gefrorenen Erbsen kurz in kochendes Salzwasser geben.

☐ Die Weißbrotscheiben in kleine Würfel schneiden, mit der Milch übergießen und durchziehen lassen.

☐ Die Butter schaumig rühren und nach und nach die Eigelbe hinzufügen. Mit Salz, frischgemahlenem Pfeffer und abgeriebener Orangenschale würzen.

☐ Den Backofen auf 200°C vorheizen.

☐ Die eingeweichten Brotwürfel, Käse, abgetropften Spargelstückchen, Erbsen sowie die gehackte Petersilie unter die Schaummasse mengen. Eiweiß zu steifem Schnee schlagen und vorsichtig unterheben.

☐ Die Masse in eine gefettete Auflaufform füllen, mit Butterflöckchen belegen und im Backofen auf der mittleren Schiene in 30 Minuten goldbraun backen.

Pro Portion: 590 kcal

KARTOFFEL-SHIITAKE-AUFLAUF

(Foto unten)

Für 4 Personen

500 g Pellkartoffeln (vom Vortag)

2 Eier

1 EL Weizenmehl

1 Bund Petersilie

1 Bund Pimpernelle

einige Borretschblätter

Salz

250 g Shiitakepilze

30 g Butter

Pfeffer aus der Mühle

2 Fleischtomaten

125 g Mozzarella

Butter für die Form

☐ Die Kartoffeln schälen und grob raffeln. Mit Eiern und Mehl verkneten. Die Kräuter waschen, trockenschwenken, fein hacken, mit etwas Salz zum Teig geben.

☐ Die Shiitakepilze putzen, unter fließendem Wasser waschen oder mit Küchenpapier sorgfältig abwischen und in Scheibchen schneiden. Butter in einem Topf erhitzen, die Pilze darin etwa 5 Minuten braten, mit Pfeffer und Salz würzen.

☐ Eine Auflaufform mit Butter ausstreichen und mit dem Teig auslegen.

☐ Den Backofen auf 180°C vorheizen.

☐ Tomaten waschen und in Scheiben schneiden. Stengelansätze entfernen. Die Scheiben auf den Kartoffelteig schichten. Darüber die Pilze verteilen. Mozzarella in Scheiben schneiden und auf die Pilze legen. Mit reichlich schwarzem Pfeffer übermahlen.

☐ Den Auflauf auf der mittleren Schiene des Backofens 25–30 Minuten überbacken.

Pro Portion: 305 kcal

☐ Das Mehl in eine hohe Schüssel geben und in der Mitte eine kleine Mulde formen. Die Hefe zerbröckeln und mit etwas Milch, einer Prise Zucker und Salz in die Mulde geben und mit etwa 3 Eßlöffeln Mehl zu einem Vorteig vermischen. Den Teig zugedeckt an einem warmen Ort 15 Minuten gehen lassen.

☐ In der Zwischenzeit die Butter auf kleinster Flamme zerlassen.

☐ Nun den Vorteig mit dem restlichen Mehl und der übrigen Milch etwas vermengen und zum Schluß die zerlassene Butter hinzugeben. Den Teig solange durchkneten, bis er Blasen wirft und sich leicht von der Schüssel löst.

☐ Ein Backblech gut einfetten, den Teig darauf etwa ½ cm dick ausrollen und mit einer Gabel einige Male einstechen. Den Teig am Rand etwas hochziehen und festdrücken. Mit einem Tuch bedecken und 45 Minuten gehen lassen.

☐ Für den Belag die Zwiebeln schälen und in dünne Scheiben schneiden.

☐ Butter bei schwacher Hitze in einer Pfanne zerlassen, das Sonnenblumenöl zufügen und die Zwiebelscheiben bei schwacher Hitze zugedeckt 10 Minuten dünsten, nicht bräunen. Anschließend abkühlen lassen.

☐ Den Backofen auf 200 °C vorheizen.

☐ Die Sahne mit den Eiern verquirlen, den Kümmel dazugeben und mit Salz und Pfeffer würzen.

☐ Die abgekühlten Zwiebelscheiben auf dem Teig verteilen, die Sahne-Eier-Masse darübergießen und den Zwiebelkuchen auf der mittleren Schiene in den Backofen geben und 40–50 Minuten garen. Den Zwiebelkuchen noch heiß aus dem Ofen sofort servieren.

Pro Portion: 570 kcal

Die geschälte Zwiebel halbieren und der Länge nach in Halbringe schneiden.

ZWIEBELKUCHEN

Für 4 Personen	
HEFETEIG	
250 g Mehl	
15 g Hefe	
⅛ l lauwarme Milch	
je 1 Prise Zucker und Salz	
50 g Butter	
BELAG	
1 kg Schalotten	
1 EL Butter	
2 EL Sonnenblumenöl	
125 g saure Sahne	
3 Eier	
1 EL Kümmel	
Salz	
Pfeffer aus der Mühle	

——tip——

Wer mag, streut zwischen die einzelnen Schichten geriebenen Parmesan.

ZUCCHINI-MUSSAKÁ

Für 4 Personen

1 Zwiebel

2 Knoblauchzehen

1 EL Öl

300 g Tatar

1 Dose geschälte Tomaten (ca. 380 g)

Salz

Pfeffer aus der Mühle

2 Zweige Thymian

4 kleine Zucchini (600 g)

2 EL Crème fraîche

30 g geriebener Parmesan

1 EL gehackte Petersilie

Fett für die Form

☐ Zwiebel und Knoblauch schälen und in feine Würfel schneiden. Das Öl in einer Pfanne erhitzen und die Zwiebel- und Knoblauchwürfel darin bei mittlerer Hitze anschwitzen.

☐ Das Tatar hinzufügen und kurz anbraten. Die kleingeschnittenen Tomaten samt der Flüssigkeit sowie die Thymianzweige dazugeben. Salzen und pfeffern und bei mitt-lerer Hitze etwa 15 Minuten köcheln lassen. Die Kräuterzweige entfernen.

☐ Inzwischen die Zucchini waschen, von den Stengelansätzen befreien und die Früchte in dünne Scheiben schneiden bzw. auf einem Gurkenhobel hobeln.

☐ Den Backofen auf 220°C vorheizen.

☐ Crème fraîche und Parmesan verrühren. Dann die Petersilie daruntermischen.

☐ Eine gefettete Auflaufform mit Zucchinischeiben schuppenförmig auslegen, darauf etwas von der Tomaten-Fleisch-Sauce geben und diese wieder mit Zucchinischeiben belegen. So fortfahren, bis alle Zutaten verbraucht sind. Den Abschluß bilden Zucchinischeiben.

☐ Die Oberfläche mit der Crème-fraîche-Mischung bestreichen und den Auflauf auf der mittleren Schiene des Backofens in 25–30 Minuten goldbraun backen.

Pro Portion: 205 kcal

1. Das Tatar zu den angebratenen Zwiebel- und Knoblauchwürfeln geben und mitbraten.

2. Zucchini von Stengel- und Blütenansätzen befreien und in Scheiben schneiden.

KNOBLAUCH-ZUCCHINI
(Foto unten)

Für 4 Personen
5 Knoblauchzehen
750 g Zucchini
Salz
75 g Butter
2 Eigelb
2 EL Crème fraîche
Pfeffer aus der Mühle
1 TL edelsüßes Paprikapulver
100 g geriebener Parmesan
Butter für die Form

☐ Die Knoblauchzehen schälen und in dünne Scheiben schneiden. Die Zucchini waschen, an den Enden abschneiden und in dünne Scheiben hobeln. Knoblauch- und Zucchinischeiben in kochendes Salzwasser geben, einmal aufwallen lassen und auf ein Sieb gießen.

☐ Die Butter schmelzen und etwas abkühlen lassen. Mit Eigelb und Crème fraîche verrühren. Die Masse mit Salz, Pfeffer und Paprikapulver würzen.

☐ Den Backofen auf 200°C vorheizen.

☐ Eine feuerfeste Form mit Butter ausstreichen. Die Zucchini- und Knoblauchscheiben hineingeben, die Creme darübergießen und das Ganze mit geriebenem Käse bestreuen.

☐ Das Gemüse auf der mittleren Schiene im Backofen in 30–40 Minuten backen.

Pro Portion: 340 kcal

GEMÜSEKUCHEN

Für 6 Personen
300 g Möhren
1 kleiner Broccoli
2–3 große Champignons
1 kleine rote Paprikaschote
3 Zucchini
Salz
1 EL Zitronensaft
300 g tiefgefrorener Blätterteig
Butter für die Form
2 Eier
200 g Sahne
Pfeffer
Muskatnuß

☐ Die Möhren schälen, den Broccoli in Röschen zerteilen und die Champignons putzen. Die Paprikaschote waschen, vierteln, den Stielansatz und die weißen Rippen entfernen und in Streifen schneiden. Die Möhren und die ungeschälten Zucchini in dünne Scheiben schneiden.

☐ Das Gemüse mit Ausnahme der Champignons im Salzwasser 3–4 Minuten blanchieren. Es soll immer noch knackig sein.

☐ Die Champignons mit dem Zitronensaft, wenig Salz und Wasser kurz dünsten und in Scheiben schneiden.

☐ Den Blätterteig ausrollen und eine gebutterte Spring- oder Quicheform von ca. 30 cm Durchmesser damit belegen. Mit einer Gabel mehrmals einstechen.

☐ Für den Guß die Eier, die Sahne, Salz, Pfeffer und Muskatnuß miteinander verquirlen.

☐ Den Backofen auf 200°C vorheizen.

☐ Die Möhren dachziegelartig den Rand entlang auf den Teig legen. In der 2. Reihe die Zucchini auf die gleiche Art schichten. Dann die übrigen Gemüse (Broccoliröschen, Paprikastreifen und in der Mitte Champignons) auf die gleiche Weise auf dem Teig verteilen.

☐ Den Kuchen in den Backofen schieben und 10 Minuten backen. Dann die Hälfte des Gusses über den Kuchen gießen und nach weiteren 15 Minuten den Rest. Nach insgesamt 40 Minuten Backzeit den Kuchen herausnehmen. Auf eine runde Platte gleiten lassen und sofort heiß als Vorspeise servieren.

Pro Portion: 360 kcal

SPINATPUDDING

Für 6 Personen
50 g Mehl
50 g Butter
¾ l Milch
1 Zwiebel mit 1 Lorbeerblatt
und 2 Nelken besteckt
Salz
Pfeffer aus der Mühle
frischgeriebene Muskatnuß
1½ kg Spinat oder
Blattmangold
Salzwasser
150 g geriebener Parmesan
150 g Fontina (ital. Käse)
5 Eigelb
Fett für die Form
Semmelbrösel zum Aus-
streuen

☐ Mehl in der erhitzten Butter anschwitzen. Heiße Milch
nach und nach unter ständigem Rühren dazugießen.
Besteckte Zwiebel zufügen
und die Sauce bei geringer
Hitze etwa 15 Minuten kö-
cheln. Dabei ab und zu umrühren, damit sie nicht anbrennt. Dann die besteckte
Zwiebel entfernen und die
Sauce mit Salz, Pfeffer und
Muskat kräftig abschmek-
ken.
☐ Spinat oder Mangold verlesen, grobe Stiele entfernen
und gründlich waschen. Kurz
in siedendem Salzwasser
überbrühen, kalt abschrekken und gut auspressen,
dann fein hacken.
☐ Das Gemüse mit der Sau-
ce, geriebenem Käse und Eigelb vermischen. Eventuell
nachwürzen. Die Masse in eine gut gefettete und mit
Semmelbröseln ausgestreu-
te Form (2 l Inhalt) füllen. Zugedeckt ins heiße Wasser-
bad stellen und den Pudding
ca. 50 Minuten ziehen lassen
(Stäbchenprobe machen!).
Den Pudding vor dem Stür-
zen etwas auskühlen lassen.
Pro Portion: 480 kcal

BLUMENKOHL-
CHAMPIGNON-TORTE
(Foto unten)

Für 6 Personen
300 g tiefgekühlter Blätterteig
1 großer Blumenkohl
150 g Champignons
150 g durchwachsener
geräucherter Speck
2 EL Butter
2 EL gehackte Petersilie
Salz
Pfeffer aus der Mühle
Mehl zum Ausrollen
4 Eier
250 g Sahne

☐ Den Blätterteig 20 Minuten auftauen lassen.
☐ Den Blumenkohl in kleine
Röschen zerteilen. Champignons in Scheiben schnei-
den, Speck würfeln.
☐ Die Blumenkohlröschen
in 1 Eßlöffel Butter andünsten, mit einer halben Tasse
Wasser aufgießen und fast
weich dünsten. Die Champignons und den Schinken in
der restlichen Butter andünsten. Blumenkohl und Pilze
mit Petersilie, Salz und Pfeffer würzen und abkühlen lassen.
☐ Backofen auf 225 °C vorheizen. Eine Springform von
26 cm Durchmesser kalt
ausspülen.
☐ Den Teig auf einer be-
mehlten Fläche ausrollen, die
Form damit auslegen und
15 Minuten backen.
☐ Form aus dem Ofen neh-
men und den Boden mit dem
Gemüse belegen. Die Eier
mit der Sahne gründlich vermischen, leicht würzen und
über das Gemüse gießen.
☐ Die Torte auf der mittleren
Schiene des Backofens in
30–40 Minuten goldgelb
backen.
Pro Portion: 665 kcal

SPROSSENQUICHE

Für 4–6 Personen

TEIG

200 g Mehl

1 TL Salz

100 g kalte Butter oder Margarine

1 kleines Ei

Butter für die Form

GUSS

3 Eier

200 g Sahne oder Crème fraîche

150 g geriebener Käse (Emmentaler oder Greyerzer, auch gemischt)

Salz

Cayennepfeffer

frischgeriebene Muskatnuß

BELAG

200 g gemischte Sprossen (z. B. Linsen, Alfalfa, Rettich, Senf und Sonnenblumen aus ca. 75 g Samen)

250 g Kirschtomaten

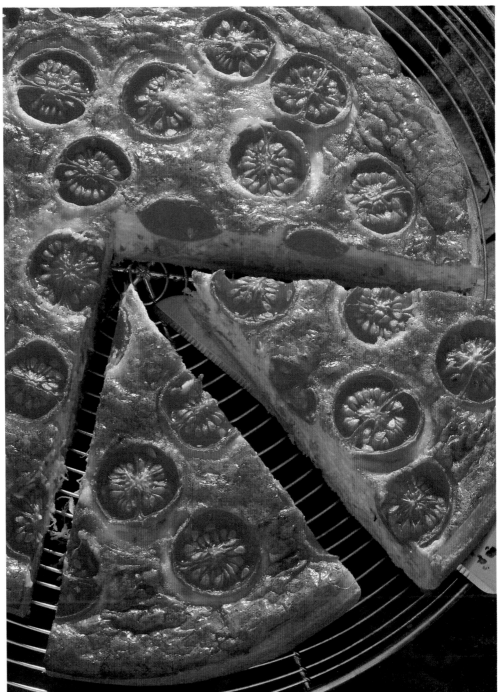

☐ Für den Teig Mehl und Salz mischen. Mit kleingeschnittener Butter oder Margarine und dem Ei rasch zu einem glatten Teig verkneten. Zu einer Kugel formen und in Folie wickeln. Mindestens 30 Minuten im Kühlschrank ruhen lassen.

☐ Für den Guß die Eier mit der Sahne und dem geriebenen Käse verquirlen. Mit Salz, Cayennepfeffer und Muskatnuß kräftig abschmecken.

☐ Etwa zwei Drittel des Teiges auf einer bemehlten Arbeitsfläche rund mit dem Nudelholz ausrollen und den Boden einer gefetteten Springform von 26 cm Durchmesser damit auslegen. Mehrmals mit einer Gabel einstechen. Aus dem restlichen Teig einen ca. 3 cm hohen Rand formen.

☐ Den Backofen auf 200 °C vorheizen.

☐ Die gut abgetropften Sprossen auf dem Teig verteilen. Kirschtomaten halbieren und mit der Schnittfläche nach oben in die Sprossen setzen. Guß nochmals kurz durchrühren und über die Sprossen verteilen.

☐ Die Quiche auf der mittleren Schiene im Backofen 30–40 Minuten backen, bis die Eiersahne fest und die Oberfläche goldgelb ist. Kurz abkühlen lassen und dann vorsichtig aus der Form lösen. Warm servieren.

Pro Portion bei 12 Stück: 265 kcal

KÜRBIS-KÄSE-SOUFFLÉ

Für 4–6 Personen

1 kg Kürbis

3 EL Wasser

Salz

Pfeffer aus der Mühle

frischgeriebene Muskatnuß

75 g Butter

50–75 g Mehl

0,2 l Milch

4–5 Eigelb

75 g geriebener Parmesan

Fett für die Form

1 EL Semmelbrösel

5 Eiweiß

1 Msp. Backpulver

☐ Kürbis schälen, entkernen und in Stücke schneiden. Mit Wasser zugedeckt weich garen. Dann Kürbis ohne Deckel ausdampfen lassen. Noch heiß pürieren und oder durch die Kartoffelpresse drücken. Mit Salz, Pfeffer und Muskat kräftig abschmecken. Das Kürbismus in ein feinmaschiges Sieb geben und abtropfen lassen.

☐ Butter in einem Topf flüssig werden lassen. Mehl unter Rühren zufügen und bei schwacher Hitze kurz andünsten. Nach und nach die heiße Milch unter kräftigem Rühren dazugießen. Die Sauce ca. 5 Minuten leise köcheln lassen. Ab und zu rühren, damit sie nicht anbrennt. Sobald die Sauce richtig dickflüssig eingekocht ist, Topf von der heißen Kochstelle ziehen und das Kürbismus untermischen. Eigelb und geriebenen Käse zugeben und die Masse, wenn nötig, nachwürzen.

☐ Den Backofen auf 180°C vorheizen.

☐ Den Boden einer Souffléform mit ca. 2 l Inhalt einfetten und mit Semmelbröseln bestreuen.

☐ Eiweiß mit 1 Prise Salz und Backpulver steif schlagen. Sorgfältig unter die Kürbismasse heben und diese in die vorbereitete Form füllen

(nur ¾ voll). Falls Sie keine so große Form haben, können Sie sie mit einer Folienmanschette vergrößern.

☐ Soufflé sofort auf der untersten Schiene des Backofens 40–50 Minuten backen. Sofort servieren.

Pro Portion bei 6 Portionen: 361 kcal

——tip——

Ein Bund gehackte gemischte Kräuter unter die Kürbismasse geben.

Parmesankäse sollte am besten immer nur frisch gerieben verwendet werden.

ZUCCHINIQUICHE

Für 4 Personen

MÜRBETEIG

300 g Mehl

200 g kalte Butter

1 Prise Salz

1 Ei

FÜLLUNG

250 g Schalotten

750 g junge feste Zucchini

2 EL Öl

250 g saure Sahne

2 Eier

150 g geriebener Emmentaler

frischgeriebene Muskatnuß

Salz

Pfeffer aus der Mühle

☐ Für den Mürbeteig das Mehl auf eine Arbeitsplatte sieben und in der Mitte eine Mulde formen. Die kalte Butter in kleinen Stückchen in die Mulde geben, Salz und das Ei hinzufügen. Die Zuta-

ten mit einem großen Küchenmesser durchhacken, bis alles feinkrümelig ist. Dann mit den Händen rasch zu einem festen Teig kneten und zu einer Kugel formen. In Klarsichtfolie wickeln und im Kühlschrank 1–2 Stunden ruhen lassen.

☐ In der Zwischenzeit die Schalotten schälen und in nicht zu dünne Ringe schneiden. Die Zucchini waschen, Blüten- und Stielansätze entfernen und ebenfalls in dünne Scheiben schneiden.

☐ Das Öl in einer Pfanne erhitzen, Schalotten und Zucchini unter ständigem Rühren leicht anbraten. Das Gemüse auf mehrere Lagen Küchenkrepp geben, damit das überschüssige Öl aufgesaugt wird. Abkühlen lassen.

☐ Die Sahne mit den Eiern und dem geriebenen Em-

mentaler verrühren, mit Salz, frischgeriebener Muskatnuß und frischgemahlenem Pfeffer abschmecken.

☐ Den Backofen auf 200 °C vorheizen.

☐ Den Mürbeteig ca. 3 mm dick ausrollen und eine gefettete Spring- oder Quicheform von 30 cm Durchmesser damit auslegen, dabei den Teig etwa 2 cm hochziehen und mit den Daumen fest an den Rand der Form drükken. Teigboden mit einer Gabel einstechen.

☐ Zucchini auf dem Teigboden verteilen und die Käsemasse darübergeben.

☐ Die Quiche auf der mittleren Schiene des Backofens etwa 45 Minuten backen. Die Zucchini-Quiche wird in Tortenstücke geteilt und heiß serviert.

Pro Portion: 760 kcal

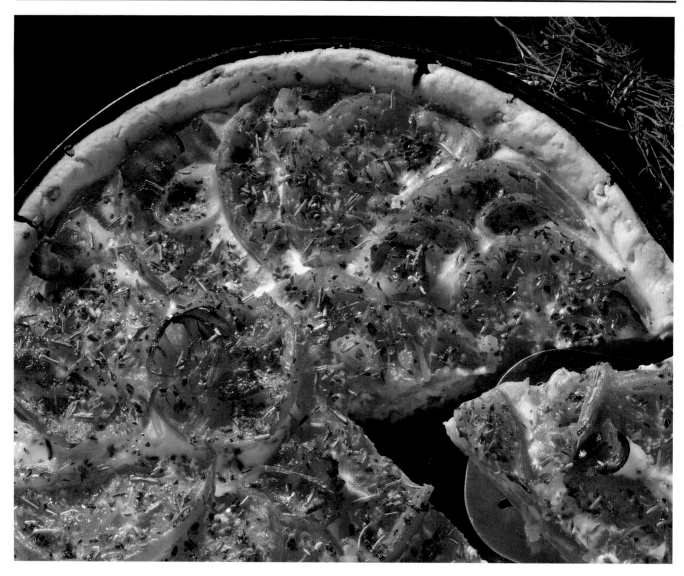

———*tip*———

*Die Tomatenwähe ist ein
idealer Party-Snack. Sie eignet sich als Vorspeise ebenso
wie als Hauptgericht. Dann
sollte man sie jedoch mit
einem knackig frischen Blattsalat servieren: Eine gesunde
Schlemmerei.*

TOMATENWÄHE

Für 4–6 Personen

250 g Weizenmehl

100 g kalte Margarine

1 Ei

50 g gesalzene, ohne Fett geröstete Erdnüsse (gehackt)

700 g vollreife Tomaten

1 mittelgroße Zwiebel

100 g durchwachsener Speck

20 g Butter

Fett für die Form

1 TL getrocknete Kräuter der Provence

3 Eier

200 g saure Sahne

100 g Crème double

Pfeffer aus der Mühle

☐ Das Mehl in eine Schüssel geben. Das kalte Fett in Stückchen darauf verteilen, das Ei in die Mitte geben und die Nüsse darüberstreuen. Alles rasch zu einem festen Teig verkneten. In Klarsichtfolie einwickeln und 60 Minuten kühl stellen.

☐ Die Tomaten überbrühen, kalt abschrecken und häuten. Die Stielansätze entfernen und die Früchte in gleichmäßig dicke Scheiben schneiden.

☐ Den Backofen auf 175°C vorheizen.

☐ Die Zwiebel abziehen und in Ringe teilen. Den Speck in breite Streifen schneiden. Die Butter erhitzen, Zwiebelringe und Speck darin anbraten. Vom Herd nehmen.

☐ Eine flache, runde, feuerfeste Form ausfetten. Den Boden und Rand mit dem Teig auslegen und den Boden mehrfach mit einer Gabel einstechen. In den Backofen auf die mittlere Schiene geben und 10 Minuten vorbakken.

☐ Die Zwiebel-Speck-Mischung auf den Teigboden verteilen. Die Tomatenscheiben darauf geben und mit den Kräutern bestreuen.

☐ Die Eier mit saurer Sahne und Crème double verquirlen, mit etwas Pfeffer würzen und über die Tomaten ziehen. Die Form in den Ofen schieben und 40–45 Minuten backen.

Pro Portion bei 6 Portionen: 625 kcal

BLUMENKOHLAUFLAUF MIT KALBFLEISCH

Für 4–6 Personen

*500 g vorwiegend fest-
kochende Kartoffeln*

(z. B. Granola, Desirée, Christa)

*1 grüner Blumenkohl oder
Romanesco*

1 Porreestange

2 Knoblauchzehen

1 EL Butter

500 g gehacktes Kalbfleisch

⅛ l trockener Weißwein

1 TL getrockneter Oregano

1 TL Currypulver

Salz

Pfeffer aus der Mühle

250 g Sahne

frischgeriebene Muskatnuß

abgeriebene Schale von

½ unbehandelten Zitrone

Butter für die Form

geriebener Parmesan

einige Butterstückchen

☐ Kartoffeln in der Schale kochen. Das Gemüse putzen, waschen, in Röschen teilen, raspeln, bzw. in Streifen schneiden.

☐ Porree und gehackten Knoblauch in der mittelheißen Butter glasig dünsten. Temperatur erhöhen, Fleisch hinzufügen und unter Wenden anbraten. Blumenkohl oder Romanesco zufügen und 5 Minuten mitbraten. Wein dazugießen und einkochen lassen. Mit Oregano, Curry, Salz und Pfeffer kräftig würzen. Zugedeckt ca. 10 Minuten köcheln lassen.

☐ Den Backofen auf 200 °C vorheizen.

☐ Inzwischen Kartoffeln pellen und in dünne Scheiben schneiden. Lagenweise mit dem Blumenkohl-Fleisch-Gemisch in eine gut gefettete feuerfeste Form schichten.

☐ Sahne mit Salz, Pfeffer, Muskatnuß und Zitronenschale verrühren und über den Auflauf gießen. Käse und Butter darüberstreuen. Im Ofen 20–30 Minuten backen.
Pro Portion bei 6 Portionen: 371 kcal

ROSENKOHLAUFLAUF MIT HASELNÜSSEN

(Foto oben)

Für 4 Personen

1 kg Rosenkohl

Salz

500 g gehacktes Kalbfleisch

200 g Magerquark

1 EL gehackte Petersilie

Pfeffer aus der Mühle

abgeriebene Schale von

½ unbehandelten Zitrone

frischgeriebene Muskatnuß

200 g saure Sahne

2 Eier

20 g gehackte Haselnüsse

☐ Den Rosenkohl putzen und in Salzwasser etwa 8–10 Minuten vorkochen. Abtropfen lassen.

☐ Das Kalbshack mit Quark und Petersilie verrühren und mit Salz, Pfeffer, Zitronenschale und Muskat würzig abschmecken.

☐ Den Backofen auf 200 °C vorheizen.

☐ Saure Sahne und Eier verquirlen, mit Salz, Pfeffer und Muskat würzen.

☐ Eine Auflaufform ausfetten, den Fleischteig auf dem Boden verteilen. Die Rosenkohlröschen kreisförmig in den Fleischteig drücken. Mit der Sahnemischung begießen und mit den Haselnüssen bestreuen.

☐ Auf der mittleren Schiene des Backofens in 30–35 Minuten backen.
Pro Portion: 365 kcal

Die Rosenkohlröschen gleichmäßig auf dem Fleischteig anordnen, leicht andrücken und mit der Sahnemischung übergießen. Dann die Haselnüsse darüberstreuen.

GEMÜSE-REIS-AUFLAUF

Für 4 Personen

350 g Langkornreis (mit Wildreis gemischt)

¾ l Gemüsebrühe

Butter

8 kleine Zucchini

2 mittelgroße Auberginen

4 große Fleischtomaten

½ Bund Petersilie

4 Eier

Salz

Pfeffer aus der Mühle

1 Msp. Thymian

edelsüßer Paprika

100 g frischgeriebener Emmentaler

☐ Reis in ein feines Sieb geben und mit kaltem Wasser abspülen.

☐ Die Gemüsebrühe zum Kochen bringen, Reis einrühren und nach Anleitung bißfest kochen. Danach abgießen, abtropfen lassen und ein nußgroßes Stück Butter unterrühren.

☐ Die Zucchini und Auberginen waschen, Blüten- und Stielansätze entfernen und das Fruchtfleisch in kleine Würfel schneiden.

☐ Die Tomaten kreuzförmig einschneiden und kurz in heißes Wasser tauchen. Die Haut abziehen, den grünen Stielansatz entfernen und die Tomaten klein würfeln.

☐ Die Petersilie waschen, von groben Stielen befreien und fein hacken.

☐ Butter in einer Pfanne erhitzen und Zucchini, Auberginen und Tomaten kurz anbraten.

☐ Den Backofen auf 200 °C vorheizen.

☐ Das angebratene Gemüse mit dem Reis in eine Schüssel geben und gut mischen. Eier verquirlen und unter die Reismischung geben, alles gut vermischen, die Petersilie hinzufügen und mit Salz, Pfeffer, Thymian und Paprika abschmecken.

☐ Eine Auflaufform mit etwas Butter ausstreichen und die Reismischung einfüllen. Mit geriebenem Emmentaler bestreuen und einige Flöckchen Butter darauf verteilen.

☐ Den Auflauf im Backofen auf der mittleren Schiene 30–40 Minuten garen. Möglichst zum Schluß bei Oberhitze die Oberfläche etwa 5 Minuten gratinieren.

Pro Portion: 490 kcal

CHINAKOHLAUFLAUF MIT QUARK UND PISTAZIEN

(Foto unten)

Für 4 Personen

750 g Chinakohl

3 EL Öl

Salz

Pfeffer aus der Mühle

500 g Magerquark

125 g Sahne

3 Eier, getrennt

frischgeriebene Muskatnuß

100 g geröstete Pistazienkerne, gehackt

Fett für die Form

100–150 g geriebener Käse, z. B. Emmentaler

☐ Den Chinakohl halbieren, den Strunk entfernen, das Gemüse waschen und die Hälften in feine Streifen schneiden. Das Öl in einer Pfanne erhitzen, die Gemüsestreifen kurz darin anschwitzen und mit Salz und Pfeffer würzen.

☐ Den Backofen auf 200 °C vorheizen.

☐ Quark, Sahne und Eigelbe gründlich miteinander verrühren und mit Salz, Pfeffer und Muskat würzen. Die Eiweiße mit einer Prise Salz zu steifem Schnee schlagen und locker unter die Quarkmasse heben.

☐ Eine große Auflaufform oder eine hohe Souffléform gut ausfetten und einfüllen. Mit dem Chinakohl bedecken und mit den Pistazien bestreuen. Die zweite Quarkhälfte darauf verteilen und den Emmentaler darüberstreuen.

☐ Auf der mittleren Schiene im Backofen in 25–30 Minuten goldbraun backen und sofort servieren, damit das Soufflé nicht zusammenfällt.

Pro Portion: 590 kcal

SPÄTZLE-PORREE-AUFLAUF
(Foto oben)

Für 4 Personen
500 g Spätzle (Fertigprodukt)
Salz
2 Stangen Porree (ca. 200 g)
Pfeffer aus der Mühle
2 EL Butter
200 g gekochter Schinken
in dickeren Scheiben
150 g Emmentaler, frisch
gerieben

☐ Die Spätzle in kochendem Salzwasser nach Packungsangabe garen. In einem Sieb abtropfen lassen.

☐ Inzwischen die Porreestangen putzen, längs aufschlitzen, waschen und in feine Ringe schneiden.

☐ In einer Pfanne 1 Eßlöffel Butter erhitzen und die Por-reeringe darin 3 Minuten dünsten. Salzen und pfeffern.

☐ Den Schinken vom Fettrand befreien und in schmale Streifen schneiden. Zu dem Porree geben und unterrühren.

☐ Den Backofen auf 200 °C vorheizen.

☐ Eine Auflaufform mit der restlichen Butter einfetten. Die Spätzle abwechselnd mit der Porree-Schinken-Mischung einfüllen und jede Schicht mit Käse bestreuen. Die oberste Schicht soll aus viel Käse bestehen.

☐ Den Auflauf auf der mittleren Schiene des Backofens 15 Minuten überbacken.
Dazu paßt ein Feld- oder Kopfsalat mit Joghurtdressing.
Pro Portion: 725 kcal

MUSSAKÁ

Für 4 Personen
6 Auberginen (ca. 1 kg)
Salz
Mehl
⅛ l Olivenöl
500 g Lammfleisch, frisch
durchgedreht
2 kleine Zwiebeln
Pfeffer aus der Mühle
500 g Tomaten
200 g Joghurt
3 Eier
Butter für die Form

☐ Die Auberginen der Länge nach in Scheiben schneiden. Auf die Schnittflächen Salz streuen und eine halbe Stunde lang ruhen lassen, damit der bittere Saft heraustreten kann.

☐ Den Saft abgießen, die Auberginenscheiben wa-schen, abtrocknen und in Mehl wenden. Die Hälfte des Olivenöls in einer Pfanne erhitzen und die Auberginenscheiben darin nacheinander hellbraun braten.

☐ Das Hackfleisch in Flöckchen zerteilen, die geschälten Zwiebeln in Würfel schneiden. Das restliche Öl erhitzen, zuerst das Fleisch darin anrösten, dann die Zwiebelwürfel zugeben und glasig braten. Mit Salz und Pfeffer abschmecken.

☐ Die Tomaten mit kochendem Wasser überbrühen, abziehen und in dünne Scheiben schneiden.

☐ Den Backofen auf 200 °C vorheizen.

☐ Eine Auflaufform einfetten und den Boden mit einem Drittel der Auberginenscheiben belegen. Darüber Tomatenscheiben und die Hälfte des Hackfleisches füllen. Dann wieder Auberginenscheiben, Tomaten, Hackfleisch und die restlichen Auberginenscheiben schichten. Auf die mittlere Schiene des Backofens schieben und etwa 30 Minuten backen lassen.

☐ Joghurt, Eier, 1 Eßlöffel Mehl und Salz miteinander vermischen und über die Auberginen gießen. Noch einmal 15 Minuten backen, bis eine goldbraune Kruste entsteht.
Pro Portion: 605 kcal

FENCHEL-
PILZ-AUFLAUF

(Foto rechts unten)

Für 4 Personen
500 g Fenchel
250 g Champignons oder
Egerlinge
5 EL Olivenöl
1 große rote Zwiebel
400 g Fleischtomaten
Pfeffer aus der Mühle
Salz
70 g Vollkornbrot
70 g geriebener Parmesan
abgeriebene Schale von
1 Zitrone (unbehandelt)
3 Knoblauchzehen
Butter für die Form

☐ Die Fenchelknollen put-
zen und waschen. Das Fen-
chelgrün abschneiden und
aufbewahren. Die Knollen in
dünne Scheiben schneiden.
Die Champignons putzen,
mit Küchenpapier sorgfältig
abwischen und ebenfalls in
dünne Scheiben schneiden.

☐ Das Öl in einer Pfanne erhitzen, die Fenchelscheiben
und die Champignons darin
anbraten. Die Zwiebel schälen, in Ringe schneiden und
10 Minuten mitbraten.

☐ Die Tomaten mit kochen-
dem Wasser überbrühen,
abziehen, entkernen, Stengelansätze entfernen und die
Tomaten in Stücke schnei-
den. Zum Gemüse in die
Pfanne geben und weitere
10 Minuten mitgaren. Mit
Pfeffer und Salz würzen.

☐ Den Backofen auf 200 °C
vorheizen. Eine Auflaufform
mit etwas Butter ausstreichen. Die Gemüse hineingeben. Die Brotscheiben in
Krumen brechen und mit
dem Käse vermischen. Die
Zitronenschale dazugeben.
Die Knoblauchzehen schälen
und fein hacken, ebenfalls in
die Masse geben. Den Auf-
lauf damit bestreuen.

☐ Den Auflauf auf der mittleren Schiene etwa 10 Minuten
überbacken.
Pro Portion: 321 kcal

FENCHEL-TOMATEN-
AUFLAUF

4 kleine Fenchelknollen
2 große Zwiebeln
Salz
4 Fleischtomaten
2 Knoblauchzehen
Fett für die Form
3 EL Kräuter der Provence
250 g Sahne (30% Fett)
2 Eier
Pfeffer aus der Mühle
Muskatnuß
150 g Mozzarella
4 EL Sesamsamen

☐ Die Fenchelknollen put-
zen und waschen. Das Fen-
chelgrün beiseite legen. Die
Knollen längs in etwa 2 cm
dicke Scheiben schneiden.
Die Zwiebeln abziehen und
ebenfalls in dicke Scheiben
schneiden. In einem großen
Topf ausreichend Salzwas-
ser zum Kochen bringen.
Nacheinander Fenchel- und
Zwiebelscheiben darin 2 Minuten kochen. Mit einem
Schaumlöffel herausnehmen
und in Eiswasser abschrekken. Dann gut abtropfen lassen.

☐ Die Tomaten mit kochen-
dem Wasser überbrühen,
kalt abschrecken, häuten
und in dicke Scheiben
schneiden. Die Knoblauch-
zehen abziehen und halbieren.

☐ Eine feuerfeste Form mit
den Knoblauchzehen ausreiben und mit reichlich Fett
auspinseln. Das Gemüse ein-
schichten und mit den Kräutern und dem zerkleinerten
Fenchelgrün bestreuen.

☐ Die Sahne mit den Eiern
verquirlen. Mit Salz, Pfeffer
und abgeriebener Muskat-
nuß würzen. Über das Ge-
müse gießen. Den Mozza-
rella in gleichmäßig dünne
Scheiben schneiden und
darüberlegen. Mit dem Se-
sam bestreuen und den Auflauf auf der mittleren Schiene
des vorgeheizten Backofens
bei 200 °C in 25 bis 30 Minuten goldbraun backen.
Pro Portion ca. 545 kcal

tip

*Dazu schmeckt ofenwarmes
Knoblauchbrot oder Baguette.*

SPARGELPUDDING AUF KRESSEBETT
(Foto unten)

Für 4 Personen
250 g weißer Spargel
250 g grüner Spargel
250 g Sahne
3 Eier
Salz
Pfeffer aus der Mühle
abgeriebene Schale von
½ unbehandelten Zitrone
Fett für die Form
1 Bund Brunnenkresse

☐ Den weißen Spargel ganz, den grünen Spargel nur am unteren Ende schälen und die Stangen in 1 cm lange Stücke schneiden.

☐ Sahne und Eier gründlich verquirlen und mit Salz, frisch gemahlenem Pfeffer und Zitronenschale würzen. Die Spargelstückchen daruntermischen.

☐ Die Masse in eine gut gefettete Kochpuddingform füllen, dabei einen etwa 4 cm breiten Rand lassen. Mit dem ebenfalls gefetteten Deckel verschließen und im heißen Wasserbad etwa 50 Minuten garen.

☐ Den Pudding 5 Minuten ruhen lassen, auf einen flachen Teller stürzen und mit der gewaschenen Brunnenkresse umlegen.

Eine schmackhafte und hübsche Beilage zu einem Fleisch- oder Fischgericht, aber auch solo z. B. mit einer Kräutersauce.

Pro Portion: 286 kcal

SPINAT-MÖHREN-LASAGNE

Für 4 Personen
600 g tiefgekühlter oder 700 g
frischer Blattspinat
5 EL Butter oder Margarine
3 Knoblauchzehen
Salz
Pfeffer aus der Mühle
frischgeriebene Muskatnuß
600 g Möhren
Zitronensaft
2 EL Mehl
¾ l Milch
250 g frischgeriebener
Greyerzer
250 g Lasagneblätter
Fett für die Form

☐ Tiefgekühlten Spinat wie auf der Packung angegeben auftauen lassen. Frischen Spinat putzen und gut waschen.

☐ Von der Butter 2 Eßlöffel erhitzen, den Knoblauch schälen und durch die Presse dazudrücken. Den Spinat zufügen und 6 Minuten dünsten. Mit Salz, Pfeffer und Muskatnuß abschmecken.

☐ Die Möhren schälen, waschen und grob raspeln. In 1 Eßlöffel Butter kurz in einer Pfanne andünsten, mit Zitronensaft, Salz und Pfeffer abschmecken.

☐ Das restliche Fett in einem Topf schmelzen. Das Mehl zufügen und goldgelb anschwitzen. Die Milch langsam unter Rühren dazufließen lassen. 15 Minuten köcheln, bis eine cremige Masse entstanden ist. Den Käse unterrühren und schmelzen lassen.

☐ Die Lasagneblätter wie auf der Packung beschrieben kochen. Eine feuerfeste Form einfetten. Den Backofen auf 180 °C vorheizen.

☐ Erst eine Lage Lasagneblätter auf den Boden legen, darauf die Hälfte der Möhren verteilen. Diese Schicht mit Béchamelsauce bedecken, dann wieder mit Nudeln.

☐ Darauf Spinat und wieder Béchamelsauce geben. So weiterverfahren, bis alle Zutaten aufgebraucht sind. Die letzte Schicht sollte aus Nudeln und der restlichen Sauce bestehen.

☐ Die Lasagne im Backofen auf der mittleren Schiene 1 Stunde backen. Falls die Oberfläche zu dunkel wird, mit Alufolie abdecken. Die Lasagne frisch aus dem Ofen servieren.

Pro Portion: 850 kcal

ZWIEBELSTRUDEL

Für 4 Personen
TEIG
250 g Mehl
1 Prise Salz
2 EL Sonnenblumenöl
1 Eigelb
ca. ⅛ l lauwarmes Wasser
FÜLLUNG
1 kg Gemüsezwiebeln
100 g Butter
⅛ l trockener Weißwein
1 EL Kümmel
Salz
Pfeffer aus der Mühle
AUSSERDEM
Mehl zum Bestäuben
1 Eigelb und 1 EL Öl zum
Bestreichen des Strudels
3 Schalotten
1 EL Butter
2–3 EL Semmelbrösel

☐ Das Mehl auf die Arbeitsplatte sieben und in der Mitte eine Mulde formen. Salz, Öl und Eigelb hineingeben und mit dem Mehl und etwas Wasser zu einem seidig glänzenden Teig verarbeiten. Den Teig während des Knetens immer wieder fest auf die Arbeitsfläche schlagen. Eine Teigkugel formen, mit wenig Öl bestreichen, mit einer großen Schüssel bedecken und 1 Stunde ruhen lassen.

☐ Die Gemüsezwiebeln schälen und in dünne Scheiben schneiden.

☐ 2 Eßlöffel Butter in einer breiten Pfanne zerlassen und die Zwiebelringe bei mittlerer Hitze glasig andünsten, jedoch nicht bräunen. Den Weißwein angießen und verkochen lassen. Mit Salz, Pfeffer und Kümmel würzen. Die Zwiebelmasse auskühlen lassen.

☐ Den Backofen auf 220°C vorheizen.

☐ Ein großes Tuch auf der Arbeitsfläche ausbreiten und mit Mehl bestäuben. Den Teig auf das Tuch geben und mit einem leicht bemehlten Nudelholz ausrollen. Anschließend mit den ebenfalls leicht bemehlten Handflächen den Teig von der Mitte aus zum Rand hin hauchdünn ausziehen.

☐ Die restliche Butter zerlassen und die Teigplatte damit bestreichen. Die Zwiebelmasse auf zwei Dritteln der Teigplatte verteilen und den Strudel mit Hilfe des Tuches zusammenrollen. An der belegten Seite beginnen, so daß mit dem letzten, nicht belegten Drittel der Strudel geschlossen werden kann.

☐ Das Eigelb mit 1 Eßlöffel Öl verquirlen und den Strudel damit bestreichen.

☐ Auf der mittleren Schiene 40–50 Minuten backen.

☐ Die Schalotten schälen und in Scheiben schneiden. Die Butter in einer Pfanne erhitzen und die Semmelbrösel zusammen mit den Schalotten goldgelb rösten. Den fertigen Strudel damit bestreuen und servieren.

Pro Portion: 625 kcal

KOHLRABIAUFLAUF MIT QUARK
(Foto unten)

Für 4 Personen
4 mittelgroße junge Kohlrabi
(à 200 g)
Salz
500 g Magerquark
50 g frischgeriebener
Parmesan
1 EL gehackte Petersilie
2 Eigelb
Salz
Pfeffer aus der Mühle
frischgeriebene Muskatnuß
2 Eiweiß
20 g Butter oder Margarine
2 EL Sonnenblumenkerne

☐ Die Kohlrabi schälen, in hauchdünne Scheiben schneiden und in Salzwasser 2 Minuten blanchieren. Mit einem Schaumlöffel herausheben und abtropfen lassen.

☐ Den Backofen auf 200°C vorheizen.

☐ Quark mit 40 g Parmesan, Petersilie und Eigelben verrühren. Mit Salz, Pfeffer und Muskat würzen. Die Eiweiße steif schlagen und locker unter die Masse mischen.

☐ Eine längliche Auflaufform mit der Hälfte des Fettes ausstreichen und den Boden mit den Kohlrabischeiben schuppenförmig auskleiden.

☐ Darauf eine Schicht Quarkcreme verteilen und diese mit Kohlrabischeiben bedecken. So fortfahren, bis alle Zutaten verbraucht sind, mit einer Quarkschicht abschließen.

☐ Die Oberfläche mit dem restlichen Parmesan und den Sonnenblumenkernen bestreuen und mit dem übrigen Fett in kleinen Flöckchen belegen.

☐ Den Kohlrabiauflauf mit Quark in 20–25 Minuten auf der mittleren Schiene des Backofens goldbraun backen.

Pro Portion: 280 kcal

VOLLKORNPASTETE MIT GEMÜSEGULASCH

Für 4 Personen

PASTETENTEIG

200 Weizenvollkornmehl

½ TL Backpulver

Salz

150 g kalte Butter

4 EL Wasser

FÜLLUNG

200 g Rinderfilet

12 Perlzwiebeln

250 g Tomaten

2 EL Öl

Salz

1 EL Paprikapulver

½ l Fleischbrühe

(aus Extrakt)

250 g Sahne

1 EL Mehl

250 g Möhren

250 g grüne Bohnen

oder Spargel

150 g frische oder tief-
gekühlte Erbsen

AUSSERDEM

1 Eigelb

Butter für die Form

☐ Eine große Auflaufform oder eine irdene Pastetenform einfetten.

☐ Für den Teig das Mehl gründlich mit dem Backpulver vermischt in eine Schüssel geben. Das Salz hinzufügen. Die kalte Butter (direkt aus dem Kühlschrank) auf der groben Seite einer Rohkostreibe in das Mehl reiben und alles mit den Händen vermischen. Das Wasser hinzufügen und einen glatten Teig kneten. In Klarsichtfolie hüllen und 30 Minuten in den Kühlschrank geben.

☐ Für die Füllung das Fleisch in Würfel schneiden, die Zwiebeln schälen, die Tomaten blanchieren, häuten, entkernen und in Stücke schneiden. Das Öl in einer Kasserolle erhitzen und das Fleisch darin anbraten. Zwiebeln und Tomaten hinzufügen und 10 Minuten mitdünsten. Salz, Paprika und Brühe hinzugeben und alles in 45 Minuten gar schmoren.

☐ Sahne und Mehl verrühren und die Fleischsauce damit binden.

☐ Möhren und Bohnen oder Spargel putzen, mit den Erbsen in Salzwasser knapp gar kochen und auf einem Sieb abtropfen lassen. Das Gemüse mit dem Fleisch vermischen.

☐ Den Backofen auf 200 °C vorheizen.

☐ Den Teig ausrollen. Einen Deckel in Größe der Form sowie einen langen Streifen daraus schneiden. Von den Resten kleine Sternchen oder Herzen schneiden. Die Füllung in die Auflaufform geben und mit dem Teigdeckel bedecken. Den Deckel in der Mitte kreuzweise einschneiden. Den Teigstreifen am Rand der Form über den Deckel legen, damit er fest abschließt. Mit den Sternchen garnieren und mit Eigelb bestreichen.

☐ Auf der mittleren Schiene im Backofen 1 Stunde bakken. Die Pastete erst bei Tisch öffnen.

Pro Portion: 835 kcal

Gefüllte Gemüse

Phantasie ist angesagt – besonders bei der Zubereitung der Füllung. Neben den klassischen Zutaten wie Hackfleisch, Mett und Brät gibt es die leckersten Variationen mit Reis, püriertem Gemüse, cremigem Käse oder Fischfarcen. Und nahezu alle Gemüsesorten lassen sich füllen. Allen voran die Fruchtgemüse, gefolgt vom Blattgemüse, woraus die so beliebten Rouladen und Wickel gerollt werden. Gesunde Genüsse sind sie allesamt.

GEFÜLLTE ARTISCHOCKEN MIT MORCHELSAUCE
(Foto links)

Für 4 Personen

100 g gekochter Schinken

30 g getrocknete Morcheln

0,2 l Hühnerbrühe

150 g tiefgekühlter Blätterteig

4 große Artischocken

1 Zitrone

Salz

1 Eigelb

1 EL Sesamsamen

200 g Sahne

2 Schalotten

2 EL Butter

4 EL trockener Sherry

Pfeffer aus der Mühle

½ TL Majoran, gehackt

1 Prise Cayennepfeffer

1. Von den Artischockenböden den Stiel abbrechen, die am Boden sitzenden Fasern sollen am Stiel bleiben.

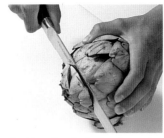

2. Von den Artischocken mit einem Sägemesser die harten Blattspitzen um ca. 3–4 cm abschneiden.

3. Die unteren kleinen Blätter von den Artischocken entfernen und die Blattreste vom Boden abschneiden.

4. Von den übrigen Blättern am besten mit einer Küchenschere die Spitzen abschneiden.

5. Die Artischocken in kochendem Salzwasser mit etwas Zitronensaft garen, damit sie sich nicht verfärben.

6. Die Herzblätter lassen sich durch eine Drehbewegung von der gegarten Artischocke leicht entfernen.

☐ Den Schinken in feine Streifen schneiden. Die Morcheln mehrmals gründlich unter fließendem Wasser waschen, in eine Schüssel legen und mit der Brühe begießen.

☐ Den Backofen auf 220°C vorheizen. Den Blätterteig auftauen.

☐ Die Stiele der Artischocken knapp unter dem Artischockenboden abbrechen. Den Rest der Stiele so abschneiden, daß die Artischocken gut stehen. Die äußeren, zähen Blätter mit einer Schere wegschneiden. Das obere Viertel der Artischockenblätter mit einem scharfen Messer entfernen. Alle Schnittflächen mit der halbierten Zitrone einreiben.

☐ 3 Liter Salzwasser aufkochen. Die Artischocken mit den Blättern nach unten hineingeben. 30–35 Minuten bei mittlerer Hitze zugedeckt kochen. (Die Kochzeit hängt von der Größe und Qualität der Artischocken ab. Wenn sie gar sind, läßt sich ein Blatt zur Probe leicht herauszupfen.) Die Artischocken im Sud etwas abkühlen lassen.

☐ Inzwischen den Blätterteig 2,5 mm dick ausrollen. 4 Herzen, Sterne oder andere Formen ausstechen. Mit verquirltem Eigelb bestreichen, auf ein kalt abgespültes Backblech legen, nach Belieben mit dem Sesamsamen bestreuen und 10–15 Minuten auf der mittleren Schiene des Backofens goldgelb backen.

☐ Von den Artischockenböden die Blätter, das »Heu« und auch die kleinen lilafarbenen Blätter abzupfen. Die Artischockenböden bis zur weiteren Verwendung in den Sud zurücklegen.

☐ Von drei Vierteln der Artischockenblätter das Fleisch ausschaben, mit Sahne pürieren.

☐ Die Schalotten in Butter dünsten. Das Morchelwasser filtern, dazugießen und 5 Minuten kochen lassen, durchsieben, die Schalotten gut ausdrücken. Die Morcheln in diesem Sud 10–15 Minuten kochen.

☐ Die Schinkenstreifen in Butter dünsten. Den Sherry zu den Morcheln geben und die Flüssigkeit bis auf 3 Eßlöffel einkochen. Die Sahnemischung zufügen, nochmals aufkochen, würzen.

Pro Portion: 530 kcal

INVOLTINI VOM WIRSING

Für 4 Personen

12 große Wirsingblätter

1 altbackenes Brötchen

⅛ l lauwarme Milch

100 g Parmesan oder

Pecorino

½ Bund Petersilie

1 Knoblauchzehe

Salz

150 g Salsiccia oder

Schweinswurst

300 g Tatar

1 Ei

frischgeriebene Muskatnuß

Pfeffer aus der Mühle

1 EL Butter

3 Tomaten

☐ Wirsingblätter gründlich waschen und 1 Minute in siedendem Wasser blanchieren, abtropfen lassen und flach ausbreiten. Etwas Kohlbrühe beiseite stellen.

☐ Brötchen in Milch einweichen. Parmesan oder Pecorino reiben. Petersilie waschen, trockenschleudern und hacken. Knoblauch schälen und mit Salz zerdrücken. Die Füllung aus der Wurst drücken und mit Tatar, ausgepreßtem Brötchen, Käse, verquirltem Ei, Petersilie und Knoblauch gut vermischen. Mit Muskat, Pfeffer und Salz abschmecken.

☐ Backofen auf 180°C vorheizen.

☐ Die Farce auf die Kohlblätter streichen und vorsichtig einrollen. Mit einem Faden umwickeln. In eine gebutterte, feuerfeste Form setzen und 10 Minuten im Ofen schmoren.

☐ Tomaten in kochendem Wasser brühen, kalt abschrecken, häuten und hakken. Rouladen wenden, Tomaten mit einigen Löffeln Kohlbrühe darübergeben. Die Rouladen in der Tomatensauce weitere 20 Minuten bei 150°C garen. Heiß mit Kartoffelbrei servieren.

Pro Portion: 410 kcal

GEFÜLLTER WIRSING
(Foto rechts)

Für 4 Personen
1 großer Wirsing (ca. 1 kg)
Salz
200 g Speck mit Schwarte
1 Zwiebel
1 Knoblauchzehe
1 Möhre
1 Bund Petersilie
300 g Schweinemett oder
Hackfleisch
1 Ei
2 EL Semmelbrösel
2 EL Milch
frischgeriebene Muskatnuß
Pfeffer aus der Mühle
1 EL Butter
1 Bouquet garni (Lorbeer,
Thymian)
½ l Fleischbrühe (Extrakt)

☐ Wirsing putzen und waschen. In einem großen Topf mit siedendem Salzwasser 10 Minuten garen. Dann abgießen und kopfüber abtropfen lassen.

☐ Den Speck großzügig von der Schwarte schneiden und klein würfeln. Zwiebel und Knoblauch schälen, Möhre putzen und alles hacken. Petersilie waschen, trocken-schleudern. Die Blätter abzupfen und grob schneiden.

☐ Die äußeren Blätter des Wirsings auseinanderbiegen, das feste Herz auslösen und fein schneiden.

☐ In einer Kasserolle den Speck auslassen. Zwiebel, Knoblauch und Möhre darin andünsten. Erst Schweinemett (oder Hackfleisch) zugeben und anschmoren und dann den geschnittenen Kohl zugeben.

☐ Vom Herd nehmen und mit Ei, in Milch eingeweichten Semmelbröseln und Petersilie gut vermischen, mit Muskat, Pfeffer und Salz würzen. Die Hälfte der Füllung in den Wirsingkohl setzen. Blätter einzeln darüberschlagen und dazwischen immer wieder etwas von der Füllung geben. Den Kohl mit einem Faden zusammenbinden.

☐ Einen großen ofenfesten Topf mit Butter ausstreichen. Gefüllten Wirsing, Speckschwarte und das Bouquet einlegen. Heiße Brühe zugießen, Topf verschließen. Den Wirsing bei 180°C 2 Stunden im Ofen garen.
Pro Portion: 680 kcal

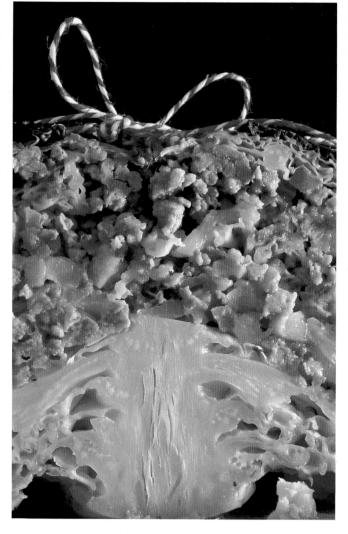

SPINAT-TOMATEN
(Foto links)

Für 4 Personen
4 vollreife, nicht zu große
Fleischtomaten
Salz
Pfeffer aus der Mühle
500 g junger Blattspinat
2 Schalotten
10 g Butter
50 g Pinienkerne
1 EL Holländische Sauce
(Fertigprodukt)
2 EL geschlagene Sahne

☐ Die Tomaten überbrühen, kalt abschrecken und häuten. Quer halbieren und mit einem Löffel vorsichtig die Kerne herausheben. Die ausgehöhlten Früchte salzen, pfeffern und auf einem Gitter abtropfen lassen.

☐ Den Spinat verlesen, gut waschen und die Blätter von den Stielen zupfen. Abgetropft in kochendem Salzwasser 1 Minute sprudelnd kochen, abgießen und in Eiswasser abschrecken. Abtropfen lassen und gut ausdrücken.

☐ Die Schalotten abziehen und fein hacken. Die Butter bräunen, Zwiebeln und das ausgehöhlte gehackte Tomatenfleisch darin andünsten. Den Spinat zufügen und 2 Minuten dünsten. Mit etwas Salz und Pfeffer abschmecken. Zum Schluß die Pinienkerne unterziehen. In die Tomaten füllen.

☐ Die Sauce mit der Sahne mischen, über die Tomaten geben und gratinieren.
Pro Portion: 220 kcal

THÜRINGER KOHLROULADEN
(Foto unten)

Für 4 Personen
1 Rotkohl
1 kräftiger Schuß Essig
1 EL Zucker
etwas Salz
1 Brötchen
3 EL Milch
500 g gemischtes Hackfleisch
2 Eier
2 Zwiebeln
3 EL Gänseschmalz
Pfeffer aus der Mühle
1 Möhre
4 Wacholderbeeren
1 Lorbeerblatt
2 Gewürznelken
⅛ l Fleischbrühe (Extrakt)
⅛ l Rotwein
2 EL Butter

☐ Äußere Blätter vom Kohl entfernen. Dann etwa 16 bis 24 große Blätter ablösen und die Rippen flach schneiden.
☐ 2 Liter Wasser mit Essig, Zucker und Salz aufkochen. Darin die Kohlblätter 10 Minuten garen. Herausnehmen und abtropfen lassen.
☐ Zerkleinertes Brötchen in Milch einweichen. Ausdrükken und mit Hackfleisch und Eiern in einer Schüssel durchkneten.
☐ Eine Zwiebel schälen und hacken. In einer Kasserolle mit 1 Eßlöffel Schmalz glasig dünsten und unter die Fleischfarce mengen. Mit Pfeffer und Salz würzen.
☐ Für 8 Rouladen je 2 bis 3 Kohlblätter auf einer Arbeitsfläche ausbreiten. Darauf die Füllung verteilen, zu Rouladen aufrollen und mit Küchengarn verschließen.

☐ In einer großen, tiefen Pfanne restliches Schmalz erhitzen. Die zweite Zwiebel schälen, die Möhre schaben und beides klein würfeln. Mit den Gewürzen anbraten.
☐ Rouladen bei guter Hitze einsetzen und unter Wenden anschmoren. Brühe und Wein angießen und aufköcheln, dabei die Rouladen wieder wenden. Zugedeckt gute 30 Minuten garen.
☐ Rouladen herausnehmen und warm stellen. Bratensauce rasch einköcheln, bis sie dicklich wird. Vom Herd nehmen, Butter unterziehen, mit Pfeffer und Salz abschmecken und durch ein Sieb über die Rouladen passieren. Die heiße Rouladen mit dampfenden Salzkartoffeln servieren.
Pro Portion: 660 kcal

TOMATEN MIT REISFÜLLE

Für 4 Personen
8 feste Fleischtomaten
Salz
8 EL Reis
4 EL Olivenöl
1 Knoblauchzehe
3 Sardellen
einige Stengel Petersilie
einige Blätter Minze oder
Basilikum
Pfeffer aus der Mühle
3 EL Olivenöl für die Form und
zum Bestreichen

☐ Die Tomaten waschen, einen Deckel abschneiden und die Tomaten vorsichtig mit einem Teelöffel aushöhlen. Innen leicht salzen.
☐ Den Reis in leicht gesalzenem Wasser 10–15 Minuten kochen, auf ein Sieb geben und gut abtropfen lassen.
☐ Das ausgehöhlte Tomatenmark durch ein Sieb streichen und mit Reis und Olivenöl vermischen.
☐ Geschälte Knoblauchzehe, Sardellen und Petersilie fein hacken, Minze oder Basilikum in feine Streifen schneiden. Zusammen mit Salz und Pfeffer unter den Reis mischen.
☐ Den Backofen auf 200°C vorheizen.
☐ Den Reis in die Tomaten füllen und die abgeschnittenen Tomatendeckel auf die Früchte setzen.
☐ Eine feuerfeste Form mit 1 Eßlöffel Öl auspinseln und die Tomaten hineinsetzen. Die Tomaten mit dem restlichen Öl bestreichen. Im Backofen auf der mittleren Schiene in ca. 40 Minuten gar backen.
Paßt als Beilage zu Fisch oder Fleischgerichten oder kalt als Vorspeise mit Weißbrot.
Pro Portion: 395 kcal

ZUCCHINI MIT HÜHNER-KRABBEN-FÜLLUNG

Für 4 Personen

4 mittelgroße Zucchini (je ca. 200 g)

1 EL Öl

2 EL gehackte Zwiebel

300 g Hühnerbrustfleisch

1 EL feingeschnittener Dill

1 Ei

1 EL Semmelbrösel

100 g ausgepulte Nordsee-krabben

Salz

Pfeffer aus der Mühle

1 TL Currypulver

etwas frischgeriebene Ingwer-wurzel

Cayennepfeffer

10 g Butter

⅛ l Hühnerfond (aus dem Glas)

☐ Die Zucchini waschen, längs halbieren und mit einem Löffel aushöhlen, dabei einen schmalen Rand lassen. Das Innere fein hacken.

☐ Das Öl in einer beschichteten Pfanne erhitzen und die Zwiebeln und das Zucchini-fleisch darin anbraten.

☐ Den Backofen auf 200°C vorheizen.

☐ Das Hühnerfleisch im Mixer fein pürieren. Mit der angedünsteten Gemüsemischung, Dill, Ei und Semmelbröseln zu einem geschmeidigen Fleischteig verkneten. Die Krabben untermischen und mit Salz und den Gewürzen herzhaft abschmecken. In die Zucchini füllen.

☐ Die gefüllten Hälften nebeneinander in eine gefettete Auflaufform legen, auf die Füllung Butterflöckchen setzen und in etwa 30 Minuten gar backen. Nach 15 Minuten mit dem Fond begießen.

Pro Portion: 230 kcal

1. *Die Zucchini der Länge nach halbieren, die Hälften aushöhlen und das Innere fein hacken.*

2. *Püriertes Hühnerfleisch, gedünstete Gemüse-mischung, Dill, Ei und Sem-melbrösel gut verkneten.*

3. *Die Krabben unter den Fleischteig kneten und mit den Gewürzen abschmecken.*

4. *Die Hühner-Krabben-Mischung in die ausgehöhlten Zucchinihälften füllen.*

TOMATEN MIT ZWIEBELFÜLLUNG

Für 4 Personen
8 mittelgroße Fleischtomaten
Salz
500 g rote Zwiebeln
2 Knoblauchzehen
1 Bund Schnittlauch
40 g Semmelbrösel
2 EL Sahne
2 EL Sonnenblumenöl
80 g schwarze Oliven
(entsteint)
Pfeffer aus der Mühle
Öl für die Form

☐ Die Tomaten waschen, den Stielansatz entfernen und oben einen Deckel abschneiden. Mit einem Löffel vorsichtig die Kerne entfernen. Die Tomaten innen etwas salzen und mit der Öffnung nach unten auf einem Rost abtropfen lassen.

☐ Die Zwiebeln schälen und fein hacken. Die Knoblauchzehen ebenfalls schälen und durch die Knoblauchpresse drücken oder kleinhacken oder mit der Messerbreitseite zerdrücken. Den Schnittlauch waschen und in Röllchen schneiden.

☐ Die Semmelbrösel kurz in der Sahne einweichen, anschließend in ein feines Sieb geben und abtropfen lassen.

☐ Das Öl in einer Pfanne erhitzen und darin die fein gehackten Zwiebeln und den Knoblauch goldgelb andünsten. Die Semmelbrösel hinzufügen und unter Rühren kurz anrösten. Die Pfanne vom Herd nehmen.

☐ Die Oliven klein hacken und zusammen mit dem Schnittlauch unter die Zwiebelmasse rühren. Mit Salz und Pfeffer kräftig würzen und die Masse in die Tomaten füllen.

☐ Den Backofen auf 200 °C vorheizen.

☐ Eine Auflaufform mit Öl ausstreichen, die Tomaten hineinsetzen und auf der mittleren Schiene etwa 20 Minuten garen.

☐ Die gefüllten Tomaten auf einer vorgewärmten Servierplatte anrichten und sofort auf den Tisch bringen.
Pro Portion: 240 kcal

ZUCCHINI MIT LAMM-REIS-FÜLLUNG

Für 4 Personen
3 EL Reis
4 mittelgroße Zucchini
Saft von 1 Zitrone
1 Schalotte
1 Knoblauchzehe
2 italienische Eiertomaten
2–3 EL Olivenöl
250 g Lammhackfleisch
Salz
Pfeffer aus der Mühle
Oregano
SAUCE
1 kleine Dose Tomatenmark
400 g Sahne
1 Knoblauchzehe
Salz
Pfeffer aus der Mühle
Oregano
4 mittelgroße Tomaten
2 kleine Zwiebeln

☐ Den Reis in Salzwasser bißfest kochen.

☐ Inzwischen Zucchini waschen, Blüten- und Stielansätze entfernen, der Länge nach halbieren, das Kerngehäuse entfernen und die ausgehöhlten Hälften mit Zitronensaft beträufeln.

☐ Die Schalotte und die Knoblauchzehe schälen und fein hacken.

☐ Die Tomaten am Stielende kreuzweise einschneiden, kurz in kochendes Wasser tauchen, enthäuten, grünen Stielansatz entfernen und kleinhacken.

☐ Das Olivenöl in einer Pfanne erhitzen, Knoblauch und Schalotte glasig anbraten. Hackfleisch hinzufügen und gut anbraten.

☐ Den abgegossenen Reis und die Tomaten untermischen, alles mit Salz, Pfeffer und Oregano würzen und 5 Minuten ziehen lasen.

☐ Die ausgehöhlten Zucchinihälften mit der Masse füllen.

☐ Für die Sauce Tomatenmark mit Sahne verquirlen. Die Knoblauchzehe schälen, fein hacken und hinzufügen.

Mit Salz, Pfeffer und Oregano abschmecken.

☐ Die Tomaten waschen, den grünen Stielansatz entfernen, die Zwiebel schälen und Tomaten und Zwiebel vierteln.

☐ Den Backofen auf 180°C vorheizen.

☐ Eine Auflaufform mit Öl ausstreichen, die gefüllten Zucchinihälften hineinlegen, die Sauce dazugießen und Tomaten und Zwiebeln hinzufügen.

☐ Die Zucchini mit der Lamm-Reis-Füllung in der Auflaufform in den Backofen geben und die Zucchini etwa 40 Minuten backen.

Pro Portion: 420 kcal

WEINBLÄTTER MIT TOFUFÜLLUNG

(Foto unten)

Für 4 Personen
20 g Reis
0,2 l Brühe
1 EL Sesam
½ Bund Petersilie
½ Bund Schnittlauch
300 g Tofu
2 EL Zitronensaft
Salz
Pfeffer aus der Mühle
Oregano
20 Weinblätter (aus der Dose)

☐ Reis ca. 20 Minuten in der Brühe garen, abgießen und abkühlen lassen.

☐ Sesam in einer trockenen Teflonpfanne goldbraun rösten, auf einen Teller geben und beiseite stellen.

☐ Die Kräuter waschen und fein hacken.

☐ Den Tofu mit einer Gabel grob zerbröseln. Alle vorbereiteten Zutaten vermischen, Zitronensaft zugeben und mit Salz, Pfeffer und Oregano kräftig abschmecken.

☐ Die Weinblätter vorsichtig voneinander lösen und trockentupfen.

☐ Weinblätter je nach Größe mit einer bestimmten Menge der Füllung belegen, Blätter an den Seiten einklappen und vorsichtig zusammenrollen. Als Vorspeise servieren.

Pro Portion: 90 kcal

AUBERGINEN MIT MANDELFÜLLUNG

Für 4 Personen

12 kleine weiße oder lila-farbene Auberginen (je 60 g)

3 EL geriebene Mandeln

1 EL gemahlener Koriander

1 TL gemahlener Cumin (Kreuzkümmel)

1 TL Garam Masala (fertig zu kaufende indische Curry-mischung)

½ TL Kurkuma (Gelbwurz)

¼ TL Cayennepfeffer

½ TL Zitronensaft

½ TL Salz

4 EL Pflanzenöl

2 Scheiben geschälte, frische Ingwerwurzel

☐ Die Auberginen der Länge nach vom runden Ende her aufschneiden, aber am Stiel-ende noch zusammenlas-sen. 10 Minuten in kaltem Wasser einweichen, bis sie sich etwas geöffnet haben. In einem Sieb abtropfen lassen und außen mit Küchenpapier abtrocknen.

☐ Die Mandeln mit Gewür-zen, Zitronensaft und Salz in einer kleinen Schüssel gut vermischen. Diese Mischung auf die Schnittflächen der Auberginen streichen, bis sie ganz aufgebraucht ist. Die Auberginen sorgfältig zu-sammendrücken und mit ei-nem Faden umwickeln, da-mit sie zusammenhalten.

☐ Das Öl und die Ingwer-scheiben in einer Pfanne bei mäßiger Hitze erhitzen. Die Auberginen hineingeben und in ungefähr 8 Minuten unter Wenden glänzend braun bra-ten. Die Hitze niedriger stel-len, die Pfanne zudecken und das Gemüse 20 Minuten schmoren lassen, dabei ge-legentlich wenden, damit die Auberginen gleichmäßig braun werden.

☐ Vor dem Servieren die Fä-den entfernen und nach Be-lieben mit Koriandergrün oder Petersilienzweigen gar-niert anrichten.

Als Beilage paßt körnig ge-kochter Langkornreis.

Pro Portion: 235 kcal

Die Auberginen längs ein-schneiden und das Mandel-mus zwischen die Schnitt-flächen streichen. Mit einem Baumwollfaden fest umwik-keln, so daß die Füllung nicht herausrutscht.

1. *Die Gurke so schälen, daß immer ein grüner Streifen stehenbleibt.*

2. *Die vier etwa 6 cm langen, ausgehöhlten Gurkenstücke mit der Fischfarce füllen.*

3. *Die Gurken in den Siebeinsatz des Topfes setzen und den Fischfond auf den Boden des Topfes gießen.*

GURKE MIT FISCHFÜLLUNG

Für 2 Personen
1 mittelgroße Salatgurke
(ca. 600 g)
Salz
250 g Fischfilet
1 Eiweiß
1 EL Créme fraîche
1 EL feingeschnittener Dill
Pfeffer aus der Mühle
Cayennepfeffer
Saft von ½ Zitrone
⅛ l Fischfond (aus dem Glas)
2 Zweige Dill, gehackt

☐ Die Gurke so schälen, daß immer ein grüner Streifen stehenbleibt. Die Gurke in vier etwa 6 cm lange Stücke schneiden, aushöhlen und innen und außen salzen. Restliche Gurkenstücke in kleine Würfel schneiden.

☐ Für die Fischfarce das gut gekühlte Fischfleisch in Stücke schneiden und in einem Mixer fein pürieren. Eiweiß, Crème fraîche und Dill rasch einarbeiten und die Masse mit Salz, Pfeffer, Cayennepfeffer und Zitrone würzen.

☐ Die Farce in die Gurken füllen und diese in den Locheinsatz eines Topfes stellen. Die Gurkenwürfel darum anordnen.

☐ Den Fischfond auf den Boden des Topfes gießen, das Lochsieb darübergeben. Das Gemüse in etwa 10 Minuten zugedeckt gar dämpfen und mit Dill bestreut servieren.

Pro Portion: 200 kcal

tip

Wer eine Sauce dazu reichen möchte, kocht den Fischfond noch mit Crème fraîche dicklich ein.

MANGOLDRÖLLCHEN

Für 6 Personen
TEIG
250 g Mehl
1 Prise Salz
frischgeriebene Muskatnuß
2–3 Eier
0,1 l Wasser mit einem Schuß
Milch
FÜLLUNG
50 g durchwachsener Speck
100 g gekochter Schinken am
Stück
2–3 Landjäger oder Bündner
Salsiz-Würste
2 Zwiebeln
1 EL Butter
4 EL gehackte gemischte
Kräuter (z. B. Petersilie,
Rosmarin, Thymian)
1 EL Schnittlauchröllchen
30 g feingehackte Mangold-
blätter
RÖLLCHEN
ca. 25 große Blätter Stiel-
mangold (Stiele anderweitig
verwenden)
2 EL Butterschmalz
⅛ l Milch
⅛ l Fleischbrühe
100 g frischgeriebener
Bergkäse
2 EL Butter

☐ Für den Teig Mehl, Salz und Muskat in eine Schüssel geben. Eier mit Milchwasser verquirlen und unter Rühren zum Mehl geben. So lange schlagen, bis der Teig Blasen wirft, dann zugedeckt 30 Minuten ruhen lassen.

☐ Für die Füllung Speck, Schinken, Würste und Zwiebeln klein würfeln. Im mittelheißen Fett glasig dünsten. Feingehackte Kräuter und Mangold zufügen und kurz mitdünsten. Die Masse etwas abkühlen lassen, dann unter den Teig mischen.

☐ Mangoldblätter gründlich waschen und gut abgetropft auf einem Brett ausbreiten. Dicke Rippen flach schneiden. Je 1 Eßlöffel Füllung in die Mitte geben. Die Blätter seitlich darüberschlagen, dann aufrollen und wenn nö-

tig mit Zahnstochern feststecken.

☐ Mangoldröllchen im mittelheißen Fett auf allen Seiten vorsichtig anbraten. Mit heißer Milch und Brühe aufgießen und die Röllchen bei geringer Hitze ca. 15 Minuten ziehen lassen.

☐ Röllchen aus dem Sud nehmen und auf einer vorgewärmten Platte anrichten. Mit dem geriebenen Käse bestreuen und zum Schluß mit gebräunter Butter beträufeln. Sofort servieren.
Pro Portion: 600 kcal

tip

Die Mangoldröllchen nach dem Anbraten in eine gefettete feuerfeste Form geben. Mit Milch und Brühe aufgießen, mit Käse und Butterstückchen bestreuen. In der Mitte des vorgeheizten Backofens bei 200 °C ca. 20 Minuten überbacken.

PAPRIKASCHOTEN UNGARISCHE ART

Für 4 Personen
8 mittelgroße Paprikaschoten
100 g Reis
Salz
500 g Lammfleisch
2 kleine Zwiebeln
1 Knoblauchzehe
1 TL feingehackte Minze-blätter
1 TL feingehackter Dill
Pfeffer aus der Mühle
¼ l Fleischbrühe (aus Extrakt)
1 EL Butter
150 g Crème fraîche

□ Von den Paprikaschoten kleine Deckel abschneiden, die Kerne entfernen und die Schoten innen und außen waschen.

□ Den Reis in wenig Salzwasser 5 Minuten vorkochen. Auf einem Sieb abtropfen lassen.

□ Fleisch, geschälte Zwiebeln und Knoblauch durch den Fleischwolf drehen oder in der Küchenmaschine nicht zu fein zerhacken. Mit dem Reis und den Kräutern vermischen und herzhaft mit Salz und Pfeffer abschmecken. Die Paprikaschoten mit dem Fleisch füllen, aufrecht in eine feuerfeste Form setzen und die abgeschnittenen Deckel darauf setzen.

□ Den Backofen auf 200°C vorheizen.

□ Die Butter und die Fleischbrühe in einem Topf erhitzen, bis die Butter geschmolzen ist. Über die Paprikaschoten gießen, mit Alufolie verschließen.

□ Die Paprikaschoten im Backofen auf der unteren Schiene 60–70 Minuten gar backen. Die Schoten herausnehmen und warm stellen. Den Bratenfond mit der glattgerührten Crème fraîche aufgießen und einkochen lassen, bis eine cremige Sauce entsteht. Mit den Paprikaschoten servieren.

Pro Portion: 465 kcal

1. Fleisch, Zwiebeln, Knoblauch und Kräuter mit dem Reis mischen.

2. Die ausgehöhlten Paprikaschoten mit der Fleisch-Reis-Mischung füllen.

GEBACKENE AUBERGINEN
(Foto unten)

Für 4 Personen
5 Knoblauchzehen
Salz
2 große Auberginen
⅛ l Olivenöl
1 große Gemüsezwiebel
1 kg Tomaten
2 EL gehackte Petersilie
Pfeffer aus der Mühle
1 TL Honig
Butter für die Form
100 g frischgeriebener
Pecorino

☐ Die Knoblauchzehen schälen und mit etwas Salz zerdrücken. Von den Auberginen den Stielansatz wegschneiden, die Früchte halbieren, etwas aushöhlen (Auberginenfleisch aufbewahren) und in dem heißen Öl von beiden Seiten anbraten. Auberginen aus der Pfanne nehmen.
☐ Die Zwiebel schälen, fein hacken und in dem Bratfett glasig werden lassen. Das ausgelöste Fruchtfleisch in kleine Stücke schneiden und mitschmoren. Zwei Tomaten mit heißem Wasser überbrühen, abziehen, entkernen und in Stücke schneiden. Die Stielansätze entfernen. Tomatenstücke ebenfalls in die Pfanne geben. Zerdrückten Knoblauch zufügen, 5 Minuten garen. Mit Petersilie, Salz und Pfeffer würzig abschmecken.
☐ Die restlichen Tomaten grob vierteln, 10 Minuten kochen und passieren. Die Sauce salzen, pfeffern und mit Honig abschmecken.
☐ Den Backofen auf 200°C vorheizen.
☐ Eine feuerfeste Form mit Butter ausstreichen, die Auberginenhälften mit der Schnittfläche nach oben hineinsetzen, die gedünsteten Gemüse darauf verteilen, die Tomatensauce rundherumgießen. Alles mit dem geriebenen Käse bestreuen.
☐ Die Form auf die mittlere Schiene in den Backofen stellen und das Gericht ca. 45 Minuten backen.
Pro Portion: 480 kcal

SALATRÖLLCHEN ROMANA

Für 4 Personen
2 Köpfe Romanasalat
(römischer Salat)
Salz
1 Stück unbehandelte
Zitronenschale
1 Zwiebel
1 Knoblauchzehe
1 Scheibe Weißbrot
5 EL Milch
½ Bund Petersilie
3 EL Olivenöl
150 g Hackfleisch
100 g Kalbsbrät
2 cl Grappa oder Brandy
Pfeffer aus der Mühle
1 Ei
3 EL frischgeriebener
Parmesan
1½ l klare Brühe (Extrakt)

☐ Die Salatköpfe waschen, dabei die großen Blätter von den Herzen lösen. Die Blätter in siedendem Salzwasser mit einem Streifen Zitronenschale fünf Minuten blanchieren und abtropfen lassen.
☐ Die Salatherzen hacken. Zwiebel und Knoblauch schälen und fein würfeln. Die Brotscheibe entrinden und in Milch einweichen. Die Petersilienblättchen von den Stengeln zupfen und fein wiegen.
☐ Das Öl in einer Pfanne erhitzen. Zwiebel und Knoblauch darin hell andünsten. Hackfleisch und Brät dazugeben und anbraten. Dann mit Grappa oder Brandy, Pfeffer und Salz abschmecken.
☐ Sobald die Flüssigkeit verdunstet ist, den gehackten Salat und die Petersilie zugeben und garen.
☐ Die Farce in eine Schüssel geben, etwas auskühlen lassen und mit Ei, Parmesan und dem gut ausgedrückten Weißbrot zu einer Füllung verkneten.
☐ Die abgetropften Salatblätter nebeneinander ausbreiten und jeweils mit etwas Füllung bestreichen. Die Ränder einschlagen und zu kleinen Rouladen wickeln. Mit Küchenschnur zubinden.
☐ Die Brühe aufkochen, die Salatwickel einlegen und bei geringer Hitze eine Viertelstunde sanft simmern lassen. Brühe und Salatwickel getrennt servieren. Dazu geriebenen Parmesan und frisch geröstetes Weißbrot reichen.
Pro Portion: 420 kcal

CHAMPIGNONS MIT SPINATFÜLLUNG

Für 4 Personen
25 sehr große, frische Champignons
100 g Champignons
100 g junger Spinat
1 Bund Petersilie
2 feingehackte Schalotten
1 EL Butter
1 TL Oregano
Salz
Pfeffer aus der Mühle
125 g Sahne
1 Ei
6 EL Weißwein
Butter für die Form

☐ Die großen Champignons putzen. Die Stiele vorsichtig aus den Hüten brechen. Die Hüte mit der Höhlung nach oben in eine gefettete feuerfeste Form setzen.

☐ Die übrigen Champignons putzen, den Spinat und die Petersilie waschen.

☐ Den Backofen auf 220°C vorheizen.

☐ Die Champignons, die Champignonstiele, den Spinat und die Petersilie hacken.

☐ Die feingehackten Schalotten in der Butter andünsten. Die Champignons, den Spinat, die Petersilie, den Oregano, Salz und Pfeffer hinzufügen, kurz mitdünsten und anschließend das Ganze vom Herd nehmen.

☐ Die Sahne und das Ei unter die gewürzte Masse ziehen und die vorbereiteten Champignons damit füllen.

☐ Den Weißwein dazugießen und die Form mit Alufolie abdecken. Im Backofen etwa 20 Minuten dünsten.

Pro Portion: 210 kcal

1. Die Champignons mit einem sauberen trockenen Pinsel sorgfältig putzen.

2. Die Stiele der Champignons vorsichtig von den Hüten trennen.

3. Eine feuerfeste Form mit Butter ausstreichen und die Champignonhüte hineinsetzen.

4. Die Spinatmasse mit einem kleinen Löffel in die Pilzhüte füllen.

KOHLRABI MIT PILZ-RAGOUTFÜLLUNG
(Foto rechts)

Für 4 Personen
4 kleine Kohlrabi mit Blättern
Salz
FÜLLUNG
400 g Pilze der Saison
2 kleine Schalotten
40 g Butter oder Margarine
Salz
Pfeffer aus der Mühle
⅛ l Brühe
250 g Sahne
2 cl Sherry (Fino)
1 cl Sherryessig
1 Bund Schnittlauch, fein geschnitten
2 EL geschlagene Sahne

☐ Von den Kohlrabi die großen Blätter entfernen, die inneren zarten Blätter mit Schale und Kohlrabifleisch als Deckel abschneiden. Die Knollen schälen bis auf einen 1 cm dicken Rand mit einem Kugelausstecher aushöhlen. Reichlich Salzwasser zum Kochen bringen und die Deckel darin 1 Minute, die Knollen 5 Minuten blanchieren. Die Knollen nebeneinander in eine Auflaufform stellen und warm halten.

☐ Für die Füllung die Pilze putzen und in kleine Stücke teilen, die Schalotten schälen und kleinwürfeln.

☐ Das Fett in einer Kasserolle erhitzen und die Schalottenwürfel darin anschwitzen. Die Pilze dazugeben, mit Salz und Pfeffer würzen, kurz andünsten, herausnehmen und warm stellen. Den Bratfond mit Brühe, Sahne, Sherry und Essig ablöschen und um ein Drittel einkochen lassen.

☐ Die Pilze wieder in die Sauce geben, den Schnittlauch untermischen und kurz aufkochen lassen. Vom Herd nehmen und die geschlagene Sahne unterziehen.

☐ Das Ragout in die Kohlrabi füllen und diese mit dem Deckel verschließen.

Pro Portion: 365 kcal

PILZE MIT SPECK-KRÄUTER-FÜLLUNG

Für 4 Personen
16 große Pilze, z. B. Steinpilze oder Champignons
Salz
50 g durchwachsener geräucherter Speck
1 EL Butter
2 EL Petersilie, fein gehackt
1 EL Kräuter (Majoran, Thymian, Rosmarin), gehackt
2 Knoblauchzehen
2 EL Weißbrotkrumen
1 Ei
1 EL Sahne
Pfeffer aus der Mühle
Butter für die Form
4 EL Fleischbrühe
1 EL Olivenöl

☐ Die Pilze putzen, kurz unter fließendem Wasser waschen und mit Küchenpapier abtrocknen. Die Pilzstengel vorsichtig aus den Hüten drehen und mit dem Wiegemesser fein hacken. Die Pilzhüte auf der gewölbten Seite geradeschneiden. Diese Abschnitte ebenfalls hacken.

☐ 2 l Salzwasser aufkochen. Die Pilzhüte hineingeben und kurz aufwallen lassen. Mit dem Schaumlöffel herausheben.

☐ Den Backofen auf 200 °C vorheizen.

☐ Den Speck mit der Butter erhitzen. Die gehackten Pilze, alle Kräuter und den geschälten, durchgepreßten Knoblauch zugeben. Alle Zutaten dünsten, bis die austretende Flüssigkeit verdampft ist. Die Weißbrotkrumen daruntermischen.

☐ Das Ei mit der Sahne verquirlen und an die Masse gießen. Mit Salz und Pfeffer abschmecken.

☐ Eine flache, feuerfeste Form mit Butter bestreichen und die Fleischbrühe hineingießen. Die Pilzhüte mit der geradegeschnittenen Seite nach unten hineinlegen. Mit der vorbereiteten Mischung füllen und mit dem Olivenöl beträufeln. Auf der mittleren Schiene des Backofens 25–30 Minuten backen. Während der ersten 10 Minuten mit Aluminiumfolie abdecken, damit die Füllung nicht zu schnell braun und trocken wird. In der Form servieren.

Pro Portion: 235 kcal

LAUBFRÖSCHE

Für 4 Personen

16 große Spinatblätter

1 Brötchen vom Vortag

1 Zwiebel

3 Stengel Petersilie

3 EL Butter

250 g Bratwurstfülle

1 Ei

frischgeriebene Muskatnuß

⅛ l Fleischbrühe (aus Extrakt)

Majoran in die Fleischmasse !

☐ Die Spinatblätter nacheinander in kochendem Wasser einige Sekunden blanchieren, mit einem Schaumlöffel herausnehmen und auf einem Brett ausbreiten. Das Brötchen in Wasser einweichen. Die geschälte Zwiebel und die Petersilie fein hacken und in 1 Eßlöffel Butter andünsten.

☐ Die Bratwurstfülle mit dem gut ausgedrückten Brötchen vermischen, das Ei und die Zwiebelwürfel hinzufügen. Die Zutaten gut miteinander verkneten und mit etwas Muskat abschmekken. Jeweils 2 Spinatblätter übereinanderlegen und je 1 Eßlöffel Fülle darauf geben. Die Blätter mit der Füllung so aufrollen, daß das Blattende unten liegt.

☐ Die restliche Butter erhitzen und die Röllchen darin rundherum anbraten. Mit der Fleischbrühe aufgießen und zugedeckt in etwa 20–30 Minuten bei leichter Hitze garen lassen. Man kann die Sauce mit 2 Eßlöffeln Crème fraîche abrunden.

Laubfrösche, eine schwäbische Spezialität, kann man auch als Vorspeise mit knusprigem Weißbrot reichen. Anstelle von Spinat eignet sich auch zarter Mangold. Dazu paßt Kartoffelpüree.

Pro Portion: 290 kcal

1. Jeweils zwei Spinatblätter übereinanderlegen und einen Eßlöffel Füllung darauf geben.

2. Die Spinatblätter seitlich über die Füllung klappen und von unten her aufrollen.

KOHLRABI
MIT WURSTFÜLLUNG

Für 4 Personen

4 zarte Kohlrabi

200 g Bratwurstbrät

1 EL feingehackte Petersilie

Salz

Pfeffer aus der Mühle

Butter für die Form

¼ l Brühe

2 EL feingeriebener Gruyère

2 EL Butter

1 EL gehackte Petersilie

☐ Die Kohlrabi schälen und vorsichtig aushöhlen. Die ausgehöhlte Kohlrabimasse fein hacken, mit dem Bratwurstbrät und der Petersilie mischen und mit Salz und Pfeffer würzen.

☐ Die Kohlrabi mit dieser Masse füllen, in eine gut gebutterte Gratinform setzen, die Brühe über die Kohlrabi gießen und alles mit einem Deckel verschließen.

☐ Das Gericht im Backofen bei 180°C etwa 35 Minuten schmoren lassen.

☐ Nach Ablauf der Garzeit den Deckel von der Form nehmen und die gefüllten Kohlrabi mit dem Käse und den Butterflocken bestreuen. Nochmals kurz in den Backofen stellen und bei Oberhitze goldbraun überbacken.

Die überbackenen Kohlrabi mit gehackter Petersilie bestreuen.

Pro Portion: 300 kcal

Die geschälten Kohlrabi am besten mit einem Kugelausstecher aushöhlen.

ZUCCHINI MIT PARMESANFÜLLUNG

Für 4 Personen
4 mittelgroße Zucchini
1 kleine Schalotte
2 EL Butter
40 g Semmelbrösel
1 Ei
50 g frischgeriebener Parmesan
1 Msp. frischgeriebene Muskatnuß
Salz
Pfeffer aus der Mühle
1–2 Tropfen Mandelöl
2 kleine junge Zucchini zum Verzieren

☐ Die Zucchini waschen, der Länge nach halbieren und kurz in siedendem Wasser blanchieren. Das Innere entfernen und etwas Fruchtfleisch für die Füllung herausschaben. Die Zucchinihälften leicht salzen, mit der Schnittfläche nach unten auf zwei Lagen Küchenkrepp legen und abtropfen lassen.

☐ Die Schalotte schälen und fein hacken. Etwas von der Butter in eine Pfanne geben und die Schalotte bei schwacher Hitze goldgelb andünsten. Die Semmelbrösel dazugeben und bei schwacher Hitze goldgelb rösten.

☐ Das Fruchtfleisch der Zucchini mit den gerösteten Semmelbröseln und der Schalotte in eine Schüssel geben und verrühren. Ei und Parmesan hinzufügen und alles gut vermischen. Es sollte eine feste Masse entstehen, bei Bedarf noch etwas Semmelbrösel zum Binden unterrühren. Mit Muskatnuß, Pfeffer und Salz würzen und zum Schluß mit ein bis zwei Spritzern Mandelöl verfeinern.

☐ Den Backofen auf 200°C vorheizen.

☐ Die Zucchinihälften mit der Masse füllen und 2–3 Butterflöckchen auf der Fülle verteilen. Mit Zucchinischeiben verzieren.

☐ Eine Auflaufform mit der restlichen Butter einfetten, die gefüllten Zucchini hineinlegen und auf die Mittelschiene in das Backrohr geben. Etwa 20–30 Minuten garen. Vor dem Servieren etwas abkühlen lassen.
Pro Portion: 190 kcal

tip

Dieses Rezept stammt aus Oberitalien, wo traditionell statt der Semmelbrösel Amaretti (Bittermandelgebäck) verwendet wird. Als Variante eignen sich auch Makronen – oder Sie mischen 40 g gemahlene oder feingehackte Mandeln unter die Füllung.

KÜRBIS MIT KÄSE-BROT-FÜLLUNG
(Foto unten)

Für 6 Personen
1 Kürbis (2½–3 kg)
1 Toast- oder Weißbrot,
ca. 250 g
300 g geriebener Greyerzer
oder mittelalter Gouda
400 g Crème fraîche
Salz
Pfeffer aus der Mühle
Muskat

☐ Den ganzen Kürbis waschen. Einen Deckel ab- schneiden und beiseite stellen. Kerne, schwammiges Inneres samt wenig Fruchtfleisch auslösen.
☐ Toast- oder Weißbrot in Scheiben schneiden, beidseitig rösten, dann in Würfel schneiden.
☐ Den Backofen auf 175 °C vorheizen.
☐ Ausgehöhlten Kürbis abwechslungsweise mit einer Schicht Brotwürfel, Reibkäse und einigen Eßlöffeln Crème fraîche füllen und würzen. So weiterverfahren, bis der Kürbis zu ¾ gefüllt ist. Mit einer Schicht Crème fraîche abschließen. Den Deckel aufsetzen und den Kürbis in Alufolie wickeln.
☐ Kürbis auf der untersten Schiene des Backofens ca. 2 Stunden backen.
☐ Zum Servieren Folie und Deckel entfernen. Kürbisfleisch sorgfältig mit einer Schöpfkelle ablösen und mit der Brot-Käse-Masse zusammen mischen. Auf vorgewärmte Teller verteilen, mit reichlich Pfeffer aus der Mühle übermahlen.
Pro Portion: 600 kcal

KÜRBIS MIT KRABBEN-CREME

Für 4 Personen
2 Spaghettikürbisse
(ca. 1,5 kg)
Salz
FÜLLUNG
¼ l Fischfond (aus dem Glas)
10 g Crème fraîche
100 g kalte Buter
einige Spritzer Zitronensaft
Pfeffer aus der Mühle
250 g Krebsfleisch (Dose)
oder Nordseekrabben
½ Bund Dill

☐ Spaghettikürbis im Ganzen in reichlich siedendem Salzwasser in ca. 40 Minuten knapp weich garen.
☐ Für die Füllung Fischfond gut zur Hälfte einkochen lassen. Crème fraîche darunterrühren und nach und nach die kalten Butterstückchen mit dem Schneebesen daruntermischen. Sauce mit Zitronensaft, Salz und Pfeffer abschmecken. Krabbenfleisch beigeben und nur noch kurz erhitzen.
☐ Kürbis längs halbieren, Kerne und faserige Teile entfernen. Fruchtfleisch mit einer Gabel in der Längsrichtung lockern, so daß »Spaghetti« entstehen. Krabben-Creme darüber verteilen und mit reichlich gehacktem Dill bestreuen.
Pro Portion: 430 kcal

PAPRIKASCHOTE MIT TOFUFÜLLE
(Foto rechts oben)

Für 1 Person
1 grüne Paprika (geputzt
ca. 150 g)
50 g Tofu
1 EL Zwiebelwürfel
Schnittlauchröllchen
1 Knoblauchzehe
Salz
Pfeffer aus der Mühle
SAUCE
½ Zwiebel
50 g Porree
1 Tomate
1 TL Öl
⅛ l Gemüsebrühe
30 g Grünkernschrot
1 EL Tomatenmark
Salz
Pfeffer aus der Mühle
Kräuter der Provence

☐ Von der Paprikaschote einen Deckel abschneiden, Samenstränge entfernen und die Schote waschen.

☐ Tofu zerdrücken, mit Zwiebel, Schnittlauch und durchgepreßter Knoblauchzehe vermischen. Mit Salz und Pfeffer würzen.

☐ Tofumischung in die Schote füllen und den Deckel aufsetzen.

☐ Für die Sauce Zwiebel abziehen und würfeln. Porree putzen, waschen, in Ringe schneiden. Tomate häuten und hacken.

☐ Öl in einem kleinen Topf erhitzen, Zwiebelwürfel und Porreeringe darin andünsten. Tomate zugeben und kurz schmoren.

☐ Mit Brühe ablöschen, Grünkernschrot einstreuen, Tomatenmark unterrühren und die Sauce unter Rühren gut durchkochen, dann würzen.

☐ Die Paprikaschote in die Sauce setzen, den Topf zudecken und alles ca. 20 Minuten garen.
Pro Portion: 270 kcal

KARTOFFELN MIT PILZ-RAGOUTFÜLLUNG
(Foto links unten)

Für 4 Personen
4 große, mehligkochende
Kartoffeln
200 g Champignons
1 Schalotte
40 g Butter oder Margarine
150 g Crème fraîche
Salz
Pfeffer aus der Mühle
150 g frische Mungobohnen-sprossen

☐ Die Kartoffeln gründlich waschen und ungeschält in Alufolie einpacken. Im Backofen bei 200 °C in etwa 1 Stunde gar backen.

☐ Inzwischen die Champignons putzen und in kleine Stücke, die Schalotte schälen und in kleine Würfel schneiden. Beides im erhitzten Fett bei mittlerer Hitze anschwitzen. Die Crème fraîche dazugeben, mit Salz und Pfeffer kräftig würzen und einmal aufkochen lassen. Die Sprossen hinzufügen und in der Pilzsauce nur kurz erwärmen.

☐ Die Kartoffeln aus dem Ofen nehmen, aus der Folie wickeln und einen Deckel abschneiden. Die Kartoffeln ein wenig aushöhlen und mit dem Ragout füllen.
Pro Portion: 345 kcal

tip

Es sieht hübsch aus, wenn Sie die Kartoffeln in der geöffneten Alufolie servieren. Im Sommer kann man die eingepackten Kartoffeln auch auf dem Holzkohlengrill backen.

GEFÜLLTER STAUDEN-SELLERIE

Für 4 Personen

2 Staudensellerie (je ca. 400 g)

30 g Butter

Salz

Pfeffer aus der Mühle

⅛ l trockener Weißwein

4 Fleischtomaten

10 schwarze, entkernte
Oliven

6–8 Basilikumblätter

100 g Büffelmozzarella

☐ Von den Selleriestauden das untere Ende sowie die grünen Blätter abschneiden und das Gemüse der Länge nach halbieren.

☐ Die Butter in einer Kasserolle erhitzen und die Gemüsehälften darin wenden, mit Salz und Pfeffer würzen und mit Weißwein aufgießen. Zugedeckt bei schwacher Hitze etwa 20 Minuten dünsten.

☐ In dieser Zeit die Tomaten blanchieren, häuten, entkernen und in kleine Würfel schneiden. Oliven in Scheiben und Basilikumblätter in feine Streifen schneiden. Mit den Tomatenwürfeln vermischen und mit Salz und Pfeffer würzen. Mozzarella in dünne Scheiben schneiden.

☐ Den Grill vorheizen.

☐ Die halbierten Selleriestangen so anordnen, daß die Schnittfläche oben ist. Mit der Tomatenmischung bedecken, mit Käse belegen und 10 Minuten unter dem Grill goldbraun überbacken. Als Beilage zu Filetsteaks oder Frikadellen reichen.

Pro Portion: 245 kcal

1. Den Staudensellerie putzen, halbieren und kurz unter fließendem Wasser waschen.

2. Die Selleriehälften in eine feuerfeste Form legen.

ROTKOHLROULADEN MIT HAFERSPROSSEN

Für 4 Personen

1 kleiner Kopf Rotkohl

Salz

3 EL Butter oder Margarine

2 Schalotten

150 g gekeimte Hafer-sprossen

50 g Rosinen

50 g gehackte Walnußkerne

2 EL Rotweinessig

Pfeffer aus der Mühle

0,2 l Rotwein

2–3 EL Crème fraîche

☐ Vom Rotkohl 4–6 große Blätter ablösen. In reichlich kochendem Salzwasser ca. 1 Minute blanchieren, dann sofort mit kaltem Wasser abschrecken. Die Blätter auf Küchenkrepp legen und gut abtropfen lassen. Die dicken Mittelrippen flachschneiden.

☐ Von dem restlichen Kohlkopf ca. 200 g Blätter ablösen. Gründlich waschen und gut abtropfen lassen. Die Mittelrippen der Blätter entfernen und die Blätter in schmale Streifen schneiden.

☐ Von der Butter oder Margarine 2 Eßlöffel in einem Topf zerlassen. Feingehackte Schalotten darin glasig dünsten.

☐ Die Rotkohlstreifen dazugeben und ca. 5 Minuten andünsten. Dann Hafersprossen, Rosinen, Walnüsse und Essig unterrühren. Mit Salz und Pfeffer kräftig abschmecken.

☐ Die Blätter ausbreiten und die Füllung gleichmäßig darauf verteilen; die Blätter seitlich über die Füllung klappen und vom dicken Ende her zu Rouladen aufrollen. Mit Küchengarn zusammenbinden.

☐ Restliche Butter in einem Schmortopf zerlassen und die Rouladen darin von allen Seiten anbraten. Rotwein angießen und zugedeckt ca. 20 Minuten köcheln lassen.

☐ Die Rouladen herausnehmen und warm stellen. Crè-

me fraîche unter die Sauce rühren und etwas einkochen. Mit Salz, Pfeffer und Rotweinessig abschmecken. Dazu Kartoffelbrei oder Kartoffelknödel reichen.

Pro Portion: 375 kcal

tip

Versuchen Sie die Rouladen einmal mit Wirsing. Nehmen Sie statt der Walnußkerne Pinien- oder Pistazienkerne und Weißwein statt Rotwein.

GEFÜLLTE
PELLKARTOFFELN
(Foto unten)

Für 4 Personen
4 mittelgroße, mehligkochen-
de Kartoffeln (à 200 g)
1 aromatische, vollreife Birne
etwas Zitronensaft
80 g Roquefort (50% i. d. Tr.)
1 EL Birnengeist
Salz
Pfeffer aus der Mühle

☐ Den Backofen auf 220 °C
vorheizen.
☐ Die Kartoffeln mit einer
Bürste gründlich waschen
und mit Küchenpapier gut
abtrocknen. Auf den Grillrost
legen und auf der mittleren
Schiene in etwa 40 Minuten
gar backen.
☐ Die Birne schälen, halbieren, entkernen und in kleine
Würfel schneiden. Mit Zitronensaft beträufeln.
☐ Die gebackenen, weichen
Kartoffeln in der Mitte kreuzweise einschneiden. Die
Schale etwas abziehen und
das Kartoffelfleisch mit einem
Teelöffel vorsichtig herauslösen, dabei einen schmalen
Rand lassen.
☐ Das ausgelöste Kartoffelfleisch mit einer Gabel zu Püree zerdrücken oder mit dem
Stabmixer pürieren. Nach
und nach den Roquefort
stückchenweise dazugeben.
Zum Schluß die Birnenwürfel
unter das Kartoffelpüree mischen und mit Birnengeist,
Salz und Pfeffer herzhaft abschmecken.
☐ Das Püree in die Kartoffeln füllen und sie nebeneinander auf eine feuerfeste
Platte setzen.
☐ Die Kartoffeln im Back-
ofen auf der oberen Schiene
5–7 Minuten überbacken.
Pro Portion: 200 kcal

GEMÜSEZWIEBELN
MIT KÄSEFÜLLUNG

Für 2 Personen
4 Gemüsezwiebeln
Fett für die Form
FÜLLUNG
125 g Sahne
200 g Frischkäse
100 g Parmesan, frisch
gerieben
3 Eier, getrennt
Salz
Pfeffer aus der Mühle
frischgeriebene Muskatnuß

☐ Die Zwiebeln in der Schale
im Backofen bei 200 °C ca.
1 Stunde backen.
☐ Die gegarten und abge-
kühlten Zwiebeln schälen, einen Deckel abschneiden und
das Innere bis auf drei
Schichten herauslösen. Die
ausgehöhlten Zwiebeln in eine gut gefettete Auflaufform
stellen.
☐ Für die Füllung das ausgelöste Zwiebelfleisch mit
der Sahne im Mixer fein pürieren, durch ein Sieb streichen und mit Frischkäse,
Parmesan und Eigelb verrühren. Mit Salz, Pfeffer und
Muskat würzen und die steifgeschlagenen Eiweiße unterziehen.
☐ Die Masse in die Zwiebeln
füllen und die Zwiebeln auf
der mittleren Schiene im
Backofen 15 Minuten bak-
ken.
Schmeckt als Vorspeise oder
Beilage zu feinen Fleischgerichten.
Pro Portion: 730 kcal

—— *tip* ——

Beim Einkauf von Chicorée sollten Sie darauf achten, daß er fest geschlossen und hell ist. In feuchtes Papier gewickelt hält er sich im Kühlschrank 4–5 Tage.

GEFÜLLTER CHICORÉE

Für 4 Personen

8 große Chicorée

8 große Scheiben gekochter Schinken

Butter für die Form

FÜLLUNG

1 Brötchen

1 Zwiebel

1 EL frischgehackte Kräuter

½ EL Butter

400 g gehacktes Geflügelfleisch

Salz

Pfeffer aus der Mühle

1 Eiweiß

SAUCE

2 EL Butter

2 EL Mehl

0,2 l Milch

Salz

Pfeffer aus der Mühle

frischgeriebene Muskatnuß

1 Eigelb

4 EL Sahne

3 EL frischgeriebener Käse

☐ Für die Sauce die Butter schmelzen und das Mehl darin dünsten. Vom Herd nehmen und mit der Milch ablöschen. Bei sehr kleiner Hitze 10–15 Minuten köcheln. Mit Salz, Pfeffer und Muskatnuß abschmecken.

☐ Die Chicorée der Länge nach halbieren.

☐ Für die Füllung das Brötchen in kaltem Wasser einweichen.

☐ Die Zwiebel fein hacken und mit den Kräutern in der Butter dünsten. Das Brötchen ausdrücken und zusammen mit der Zwiebel und den Kräutern mit einer Gabel unter das Hackfleisch mischen. Mit Salz und Pfeffer würzen und das Eiweiß unter die Füllung mischen.

☐ Die Füllung auf 8 Chicoréehälften verteilen und die übrigen Hälften daraufsetzen. Jeden zusammengesetzten Chicorée mit einer Schinkentranche umwickeln. Die Chicorée nebeneinander in eine mit Butter ausgestrichene Form legen.

☐ Die Sauce erwärmen und das Eigelb mit der Sahne daruntermischen. Kurz aufkochen lassen, den Käse hinzufügen und über die Chicorée verteilen. Im vorgeheizten Backofen 20 Minuten bei 200 °C überbacken.

Mit Salzkartoffeln servieren.

Pro Portion: 640 kcal

GEFÜLLTE GEMÜSEZWIEBELN
(Foto unten)

Für 4 Personen
4 mittelgroße Gemüse-
zwiebeln
8 Knoblauchzehen
Salz
Pfeffer aus der Mühle
1 EL Butter oder Öl für die
Form
1 Bund Petersilie

☐ Die Zwiebeln schälen und in kochendem Wasser etwa 30 Minuten garen. Die Knoblauchzehen schälen und am Ende der Kochzeit 3 Minuten mitkochen. Anschließend die Zwiebeln und den Knoblauch herausnehmen und abtropfen lassen.

☐ Die Zwiebeln vorsichtig mit einem spitzen Löffel bis auf die äußeren drei Schalen aushöhlen.

☐ Das Innere der Zwiebel und den Knoblauch fein hacken und mit Salz und Pfeffer würzen.

☐ Den Backofen auf 180°C vorheizen.

☐ Die ausgehöhlten Zwiebeln mit der Zwiebelmasse füllen und in eine gefettete Auflaufform stellen. Auf der mittleren Schiene im Backofen goldbraun backen. Das dauert ca. 25 Minuten.

☐ Die Petersilie waschen, von den groben Stielen befreien, klein hacken und vor dem Servieren über die Zwiebeln streuen. Heiß servieren.
Pro Portion: 65 kcal

GEMÜSEZWIEBELN MIT CHINAFÜLLUNG

Für 4 Personen
4 Gemüsezwiebeln
1 mittelgroße Möhre
100 g Staudensellerie
40 g Butter oder Margarine
Salz
Pfeffer aus der Mühle
150 g Shiitakepilze
¼ l Rinderfond
1 EL gehackte Ingwerwurzel
4 cl Reiswein (Sake)
1 cl Sojasauce
2 cl Sherryessig
100 g gekochter Basmatireis
Fett für die Form

☐ Die Zwiebeln schälen, einen Deckel abschneiden und das Innere mit einem Messer kreuzweise einschneiden, dabei darauf achten, daß die äußeren beiden Zwiebelschichten nicht verletzt werden. Das Innere mit einem Kugelausstecher herauslösen und kleinhacken.

☐ Möhre schälen, Selleriestangen putzen, waschen und in kleine Würfel schneiden.

☐ 20 g Fett in einer Kasserolle erhitzen und die Zwiebel-, Möhren- und Selleriewürfel darin anschwitzen. Mit Salz und Pfeffer würzen.

☐ Die Shiitakepilze in kleine Stücke schneiden, in dem restlichen Fett ebenfalls anschwitzen und würzen.

☐ Den Rinderfond mit Ingwer, Reiswein, Sojasauce und Sherryessig zum Kochen bringen und einmal aufkochen lassen.

☐ Den Backofen auf 200°C vorheizen.

☐ Reis, Gemüse, Pilze und Sauce gründlich miteinander vermischen und noch einmal mit Salz und Pfeffer abschmecken.

☐ Die ausgehöhlten Zwiebeln nebeneinander in eine gefettete Auflaufform stellen und mit der Reismischung füllen. Zugedeckt im Backofen in 45 Minuten gar backen, dabei nach 30 Minuten den Deckel abnehmen und offen fertiggaren.
Pro Portion: 300 kcal

tip

Basmatireis kommt aus Indien und hat ein besonders feines Aroma. Seine Kochzeit beträgt ca. 20 Minuten. Selbstverständlich kann man auch normalen Langkornreis für die Füllung verwenden.

Gemüse aus Pfanne und Friteuse

Ein großer Teil der Rezepte dieses Kapitels eignet sich hervorragend als Vorspeisen oder sättigende, leichte Zwischengerichte. Die italienische Anti-pasta-Küche stand gerade bei den ausgebackenen und anschließend marinierten Gemüsen Pate, auch bei der Frittata, die man sowohl warm als auch kalt servieren kann. Beliebt, vor allem bei Kindern, sind Frikadellen, Pflanzerl und Puffer, die dem Big Mac durchaus den Rang ablaufen.

AUSTERNPILZFRITTATA
(Foto links)

Für 4 Personen
1 mittelgroße Zwiebel
3 EL Olivenöl
750 g Austernpilze
2 Knoblauchzehen
Salz
Pfeffer aus der Mühle
*1 Bund Schnittlauch, klein-
geschnitten*
5 Eier

□ Die Zwiebel schälen und fein hacken. Das Olivenöl in einer mittelgroßen Pfanne mit höherem Rand erhitzen und die Zwiebelwürfel darin bei schwacher Hitze glasig dünsten.

□ Inzwischen die Austernpilze kurz abbrausen, vom Wuchsansatz befreien und in schmale Streifen schneiden. Die Austernpilzstreifen in die Pfanne geben und bei mittlerer Hitze 10 Minuten dünsten. Den Knoblauch schälen und durch die Knoblauchpresse dazudrücken. Salzen und pfeffern.

□ Den Schnittlauch mit den Eiern in einer Schüssel gut verquirlen und über die Pilze gießen. Bei schwacher Hitze stocken lassen. Dabei ab und zu an der Pfanne rütteln, damit nichts ansetzt.

□ Die Frittata nach etwa 7 Minuten auf einen Deckel oder Teller gleiten lassen, dann umgedreht wieder in die Pfanne rutschen lassen und in weiteren 10 Minuten fertigbraten.

Es sieht schön aus, wenn man die Frittata wie Kuchenstücke aufschneidet. Die Austernpilzfrittata kann auch kalt als Vorspeise serviert werden.
Pro Portion: 250 kcal

1. Die feingehackte Zwiebel und die in Streifen geschnittenen Pilze in Olivenöl dünsten.

3. Die verquirlten Eier mit dem feingehackten Schnittlauch mischen, über die Pilze gießen und bei schwacher Hitze stocken lassen.

ZUCCHINI-KÄSE-PFLANZERL

Für 4 Personen
250 g Zucchini
250 g mehlige Kartoffeln
150 g Bergkäse
(oder Emmentaler)
250 g altbackene Brötchen
*je ½ Bund Petersilie und
Schnittlauch*
3 Eier
Muskatnuß
Salz
Pfeffer aus der Mühle
3–5 EL Mehl
2–4 EL Öl

□ Die Zucchini waschen, Blüten- und Stielansätze entfernen, der Länge nach halbieren, das Kerngehäuse entfernen und die Zucchinihälften grob raspeln. In ein Sieb geben, mit wenig Salz bestreuen, durchmischen und abtropfen lassen.

□ Kartoffeln kochen, schälen und fein zerquetschen.

□ Den Käse in kleine Würfel, Brötchen ebenfalls in kleine Würfel schneiden.

2. Die Knoblauchzehe durch die Knoblauchpresse in die Mischung drücken.

4. Die Frittata auf den Pfannendeckel oder einen Teller gleiten lassen, wenden, wieder in die Pfanne geben und fertig backen.

□ Petersilie und Schnittlauch waschen, grobe oder vertrocknete Stiele entfernen und klein hacken.

□ Die abgetropften Zucchini leicht ausdrücken, mit den zerquetschten Kartoffeln, dem Käse, den Brötchen und den Kräutern in eine Schüssel geben. Die Eier hinzufügen und die Masse gut durchmischen. 20–30 Minuten ruhen lassen, damit die Brötchen gleichmäßig durchfeuchtet werden. Anschließend mit Muskatnuß, Pfeffer und Salz würzen. Bei Bedarf mit etwas Mehl binden.

□ Aus dem Teig kleine bis mittelgroße Knödel formen.

□ Das Olivenöl in einer Pfanne erhitzen. Die Knödel hineingeben und mit einer Gabel zu Frikadellen zurecht drücken. 2–3 Minuten von beiden Seiten kräftig anbraten. Heiß oder kalt mit Saisonsalaten servieren.
Pro Portion: 530 kcal

AUSGEBACKENE KÜRBISBLÜTEN

Für 4–6 Personen
20–24 Kürbisblüten
TEIG
150 g Mehl
2 Eigelb
⅛ l Wasser
⅛ l trockener Weißwein
2 EL Olivenöl
Salz
Pfeffer aus der Mühle
2 Eiweiß
1 Msp. Backpulver
Fritierfett

□ Kürbisblüten möglichst nicht waschen, nur gut ausschütteln. Stiele zurückschneiden und die Blütenstempel entfernen.

□ Für den Teig aus Mehl, Eigelb, Wasser, Wein, Öl und den Gewürzen einen dünnflüssigen Teig rühren. 30 Minuten zugedeckt bei Zimmertemperatur quellen lassen. Kurz vor dem Ausbacken Eiweiß mit Backpulver steif schlagen und sorgfältig unter den Teig mischen.

□ Vorbereitete Blüten nacheinander durch den Teig ziehen und sofort im heißen Fett bei 180°C goldgelb ausbacken. Auf Küchenkrepp abtropfen lassen. Dann lauwarm mit einer Tomatensauce servieren.
Pro Portion: 250 kcal

tip

2 Eßlöffel feingehackte Petersilie unter den Teig rühren.
Wein und Wasser durch Milch ersetzen.
Vorbereitete Blüten mit 150 g feingewürfelter Mozzarella und 5 gehackten Sardellenfilets füllen. Durch den Teig ziehen und ausbacken wie im Rezept beschrieben.

FEINE MÖHRENPUFFER
(Foto rechts)

Für 4 Personen
500 g Möhren
100 g Mehl
3 Eier
150 g Crème fraîche
50 g frischgeriebener
Parmesan
1 EL gemahlene Mandeln
Salz
Pfeffer aus der Mühle
1 Prise Muskatnuß
2 EL Butter zum Braten

☐ Die Möhren schälen und grob raspeln.

☐ Das Mehl mit Eiern, Crème fraîche, Parmesan und Mandeln gut verrühren. Die Mischung mit Salz, Pfeffer und Muskatnuß kräftig abschmecken und die Möhrenraspel untermischen.

☐ Die Butter in einer großen Pfanne erhitzen und aus der Masse mit zwei Eßlöffeln flache Puffer formen, diese in der Butter ausbacken, nach 3 Minuten wenden und weitere 3 Minuten backen.

Pro Portion: 500 kcal

SPROSSENPUFFER
(Foto links)

ca. 300 g gemischte Sprossen
(z. B. Mungobohnen, Linsen,
Sonnenblumen – aus ca.
100 g Samen)
2 Eier
50 g feinblättrige Haferflocken
½ Bund Petersilie
Salz
Pfeffer aus der Mühle
Öl oder Butterschmalz zum
Braten

☐ Sprossen sehr gut abtropfen lassen und anschließend mit Küchenkrepp trockentupfen. Dann mit einem großen Messer hacken.

☐ Gehackte Sprossen mit Eiern, Haferflocken und feingehackter Petersilie mischen. Den Teig mit Salz und Pfeffer abschmecken.

☐ Das Fett in einer Pfanne erhitzen. Aus der Masse kleine Küchlein formen und diese bei mittlerer Hitze auf beiden Seiten je ca. 3 Minuten braten.

Pro Portion: 175 kcal

tip

Zu den Sprossenpuffern folgende Sauce reichen:
1 Becher Sahnedickmilch oder saure Sahne mit einem Bund feingehackter, gemischter Kräuter verrühren. Mit Knoblauch, Salz und Pfeffer abschmecken.

ZUCCHINIFRITTATA

Für 4 Personen
400 g Zucchini, möglichst klein
4 EL Olivenöl
2 EL Sonnenblumenkerne
2 Knoblauchzehen
1 große Zwiebel, fein gehackt
Salz
Pfeffer aus der Mühle
4 Eier

☐ Die Zucchini waschen, vom Stengelansatz befreien und in dünne Scheiben schneiden oder auf der Gemüsereibe grob raspeln.

☐ Die Hälfte des Olivenöls in einer breiten Pfanne erhitzen. Die Sonnenblumenkerne darin kurz anrösten. Den geschälten Knoblauch durch die Presse dazudrücken, die Zwiebelwürfel und die Zucchinischeiben oder -raspeln untermischen und bei mittlerer Hitze 7–8 Minuten dünsten, dabei öfters umrühren. Anschließend salzen, pfeffern und etwas abkühlen lassen.

☐ Die Eier in einer Schüssel verquirlen. Die gedünsteten Zucchini untermischen.

☐ Das restliche Olivenöl in der Pfanne erhitzen und die Mischung hineingeben. Bei milder Hitze stocken lassen, dabei leicht an der Pfanne rütteln, damit nichts ansetzt. Die Frittata vorsichtig mit Hilfe eines Tellers wenden und in weiteren 5 Minuten fertigbraten.

☐ Die Zucchinifrittata aus der Pfanne auf einen Teller gleiten lassen und in Viertel oder Achtel schneiden. Heiß, lauwarm oder kalt servieren.

Pro Portion: 240 kcal

____tip____

Sehr würzig schmeckt die Frittata, wenn man statt der Sonnenblumenkerne kleine Salamiwürfel ausbrät, etwa 100 g. Mit einem knackigen Blattsalat hat man ein schönes Abendessen für zwei Personen.

1. Die Zucchini mit Knoblauch, Zwiebeln und Sonnenblumenkernen anbraten.

2. Das gebratene Zucchinigemüse unter die verquirlten Eier mischen.

1. Die Fleischtomaten nach dem Blanchieren mit einem scharfen Messer häuten.

2. Mit einem Löffel die Kerne aus den Tomaten entfernen. Die Zwischenwände stehen lassen.

3. Die Tomaten erst in Scheiben und dann in Würfel schneiden.

4. Die Austernpilze während des Bratens mit einem Löffel flachdrücken.

GEBRATENE AUSTERN-PILZE MIT VINAIGRETTE

Für 4 Personen
2 Fleischtomaten (ca. 250 g)
3 EL Rotweinessig
Salz
Pfeffer aus der Mühle
8 EL Olivenöl
1 Bund Basilikum, abgezupft
600 g Austernpilze
4–5 Knoblauchzehen

☐ Die Fleischtomaten blanchieren, häuten, entkernen und in Würfel schneiden.

☐ Für die Vinaigrette den Rotweinessig so lange mit dem Salz verrühren, bis es sich aufgelöst hat. Pfeffer zufügen und die Hälfte des Olivenöls mit dem Schneebesen kräftig unterschlagen, bis die Marinade cremig ist. Die Tomatenwürfel unterheben. Das Basilikum in feine Streifen schneiden und einstreuen.

☐ Die Austernpilze von den harten Stellen befreien, kurz abbrausen, trockentupfen und, falls nötig, zerteilen.

☐ Das restliche Olivenöl in einer großen Pfanne erhitzen und die Austernpilze im ganzen darin beidseitig kräftig anbraten, dabei die Pilze mit einem Löffel flachdrücken. Die geschälten Knoblauchzehen durch die Presse auf die Austernpilze drücken, salzen und pfeffern.

☐ Die Austernpilze auf 4 Teller verteilen. Etwas Vinaigrette darüber geben.

☐ Dazu ofenfrisches Baguette reichen.

Pro Portion: 220 kcal

AUSGEBACKENE ZUCCHINI
(Foto rechts oben)

Für 4 Personen
500 g kleine Zucchini
2 Knoblauchzehen
1 rote Chilischote
Olivenöl
Aceto Balsamico (italienischer
Balsamessig)
Pfeffer aus der Mühle
Salz

☐ Die Zucchini waschen, Blütenansätze und Stielenden entfernen und in dünne Scheiben schneiden. Auf einem Küchenkrepp abtropfen lassen.

☐ Die Knoblauchzehen schälen und in Scheiben schneiden. Die Chilischote in dünne Ringe schneiden (Kerne nach Belieben entfernen).

☐ Reichlich Olivenöl in einer Pfanne erhitzen und die Zucchinischeiben darin portionsweise auf beiden Seiten goldgelb anbraten. Auf Küchenkrepp entfetten.

☐ Zucchini schuppenartig in einer flachen Form anordnen, mit Aceto Balsamico beträufeln und mit Knoblauch und Chili bestreuen. Würzen und zum Schluß mit etwas Bratöl übergießen.

☐ Das Gemüse mit einer Platte abdecken und diese mit einem Gewicht beschweren. Im Kühlschrank mindestens 24 Stunden marinieren lassen. 2 Stunden vor dem Servieren aus dem Kühlschrank nehmen.
Als Vorspeise reichen.
Pro Portion: 60 kcal

KARAMELISIERTE PERLZWIEBELN
(Foto links unten)

Für 4 Personen
500 g Perlzwiebeln
30 g Butter
1 TL Sonnenblumenöl
1 Prise Salz
2 EL brauner Rohrzucker
2 EL Tomatenmark
3 EL Rotweinessig
¼ l trockener Rotwein
1 Zimtstange
etwas Tabasco
Zimtpulver

☐ Die Zwiebeln schälen und die Wurzelenden jeweils nur zur Hälfte abschneiden.

☐ Die Butter bei schwacher Hitze in einer Kasserolle zerlassen, das Sonnenblumenöl unter Rühren hinzufügen.

☐ Die Perlzwiebeln in die Kasserolle geben und mit einer Prise Salz würzen. Den braunen Zucker über die Zwiebeln streuen und das Gemüse bei schwacher Hitze von allen Seiten goldgelb andünsten. Die Kasserolle gelegentlich etwas rütteln, damit die Zwiebeln nicht anbrennen, aber nicht umrühren, da sie sonst leicht zerfallen. Das Tomatenmark im Essig auflösen.

☐ Erst nachdem der Rohrzucker geschmolzen ist, den Rotweinessig und den Rotwein angießen. Danach die Zimtstange hinzufügen und die Perlzwiebeln zugedeckt bei schwacher Hitze ca. 15 Minuten garen. Ab und zu vorsichtig umrühren.

☐ Die Zwiebeln mit einem Schaumlöffel herausnehmen und warm stellen.

☐ Die Rotweinsauce sehr vorsichtig mit Tabasco würzen, nach Belieben mit Zimtpulver abschmecken und etwa 10 Minuten bei mittlerer Hitze einkochen.

☐ Die Zimtstange herausnehmen, die Perlzwiebeln wieder in die Sauce geben und nochmals erhitzen.
Pro Portion: 180 kcal

GEBACKENE CHAMPIGNONS

Für 4 Personen

500 g kleine, geschlossene Champignons

Butterschmalz oder Öl zum Ausbacken

4 EL Mehl

2 Eier

Salz

100 g Semmelbrösel

einige Stengel Petersilie

Zitronenachtel

☐ Die Champignons sorgfältig putzen, möglichst nicht waschen, höchstens kurz abduschen und mit Küchenpapier sorgfältig abtrocknen.

☐ Reichlich Fett in einer hochwandigen Pfanne oder Friteuse erhitzen.

☐ Die Champignons zuerst in Mehl, dann in den mit Salz verquirlten Eiern und zum Schluß in den Semmelbröseln wenden.

☐ In dem heißen Fett goldgelb ausbacken. Mit einem Schaumlöffel herausnehmen und einen Augenblick auf saugfähigem Küchenpapier abtropfen lassen. Die Petersilie ebenfalls knusprig ausbacken.

☐ Die Champignons mit der Petersilie und Zitronen anrichten. Heiß auftragen.

Als Beilage passen Remouladensauce und Baguette.

Pro Portion: 215 kcal

1. Die geputzten Champignons erst in Mehl und dann in verquirltem Ei wenden.

2. Semmelbrösel auf einen Teller geben. Die Champignons darin wenden.

3. Öl oder Butterschmalz in einem Topf erhitzen. Die Champignons darin goldgelb ausbacken.

AUSGEBACKENE ZWIEBELN MIT JOGHURTSAUCE
(Foto rechts)

Für 4 Personen
2 Gemüsezwiebeln
Öl zum Fritieren
Salz
Pfeffer aus der Mühle
BIERTEIG
250 g Mehl
¼ l Bier
2 Eier, getrennt
3 EL Öl
JOGHURTSAUCE
150 g Naturjoghurt
1–2 EL frischgepreßter
Zitronensaft
1 TL Öl
Salz
weißer Pfeffer aus der Mühle
½ Bund Petersilie

☐ Für den Bierteig Mehl, Bier, Öl und die beiden Eigelb mit einer Prise Salz zu einem geschmeidigen Teig verrühren. 1 Stunde ruhen lassen, dann das Eiweiß steif schlagen und unter die Eimasse heben.

☐ Für die Sauce den Joghurt mit Zitronensaft und Öl verrühren, mit Salz und weißem Pfeffer würzen. Die Petersilie waschen, die groben Stiele entfernen, die Blätter kleinhacken und den Joghurt zufügen.

☐ Die Zwiebeln schälen und in etwa 3 mm dicke Scheiben schneiden. Das Öl erhitzen.

☐ Die Zwiebelscheiben in den Bierteig tauchen – er muß so fest sein, daß an den Zwiebeln eine dünne Teigschicht haften bleibt – und mit einem Schaumlöffel in das heiße Öl geben. Goldbraun ausbacken, mit dem Schaumlöffel herausnehmen und auf Küchenkrepp kurz abtropfen lassen.

Die Zwiebelscheiben noch heiß mit der Joghurtsauce servieren.

Pro Portion: 390 kcal

MÖHRENFRITTATA MIT BASILIKUM

Für 4 Personen
2 Schalotten
3 EL Olivenöl
400 g Möhren
1 Bund Basilikum
5 Eier
3 EL frischgeriebener
Parmesan
Salz
schwarzer Pfeffer aus der
Mühle
frischgeriebene Muskatnuß

☐ Die Schalotten schälen, fein hacken und in einer Pfanne in heißem Olivenöl weich dünsten.

☐ Die Möhren schälen und waschen. Auf einer Gemüsereibe grob raspeln, in die Pfanne geben und 10 Minuten unter Rühren dünsten. Das Basilikum abbrausen, von den Stengeln zupfen und zufügen.

☐ Die Eier in einer Schüssel gut verquirlen und den Parmesan untermischen. Mit Salz, Pfeffer und Muskat würzen. Unter das Gemüse mischen und bei milder Hitze langsam stocken lassen. Nach ca. 10 Minuten die Frittata umdrehen und zugedeckt in weiteren 8 Minuten fertiggaren.

☐ Die Frittata frisch aus der Pfanne auf einen Teller gleiten lassen und wie Tortenstücke aufschneiden.

Pro Portion: 245 kcal

ZWIEBEL-KARTOFFEL-PUFFER
(Foto links)

Für 4 Personen
1,5 kg festkochende Kartoffeln
1 große Gemüsezwiebel
3 EL ausgesiebtes Weizen-mehl (Type 1050)
2 Eier
Salz
frischgeriebene Muskatnuß
Öl zum Ausbacken

☐ Die Kartoffeln und Zwiebel schälen, waschen und fein raspeln. Das Weizenmehl und die Eier hinzufügen und alles gut vermengen. Mit Salz und Muskatnuß würzen.
☐ Öl in einer Pfanne sehr stark erhitzen.
☐ Von der Kartoffel-Zwiebel-Masse mit Hilfe eines Eßlöffels Teig abstechen und mit den Handflächen zu kleinen Fladen formen. In der Pfanne von beiden Seiten goldbraun ausbacken und dabei mit einem Pfannenheber flachdrücken. Sofort servieren.
Pro Portion: 310 kcal

AUSGEBACKENE MELANZANE
(Foto rechts)

Für 4 Personen
4 längliche, junge Auberginen (ca. 700 g)
Salz
100 g Mehl
¼ l Weißwein
2 EL Olivenöl
1 Eiweiß
Olivenöl zum Ausbacken
Saft von 1 Zitrone

☐ Die Auberginen in Scheiben schneiden. Auf einen Teller legen, leicht salzen und mit einem zweiten Teller zudecken. 30 Minuten ziehen lassen.
☐ Inzwischen Mehl und Salz in eine Schüssel geben, den Wein und das Olivenöl hinzufügen und alles mit einem Schneebesen glattrühren. Das Eiweiß zu sehr steifem Eischnee schlagen und unter den Teig ziehen.
☐ In einer hochwandigen Pfanne reichlich Olivenöl erhitzen.
☐ Das bittere Wasser von den Auberginenscheiben abgießen und das Gemüse mit Küchenpapier gut trockentupfen.
☐ Die Auberginenscheiben in den Teig tauchen und von beiden Seiten in dem Öl goldbraun backen. Mit einem Schaumlöffel herausheben und auf Küchenpapier abtropfen lassen. Mit Zitronensaft beträufeln und sofort als Vorspeise servieren.
Pro Portion: 320 kcal

1. Die rohen Kartoffeln mit einem Gurkenhobel in die Pfanne hobeln.

2. Die Tortilla zum Wenden vorsichtig auf einen Teller gleiten lassen.

KARTOFFEL-PILZ-TORTILLA

Für 2 Personen

400 g Kartoffeln (mehlige Sorte)

8 EL Olivenöl

1 große Zwiebel, fein gehackt

200 g Champignons

1 Bund Schnittlauch, kleingeschnitten

Salz

Pfeffer aus der Mühle

frischgeriebene Muskatnuß

5 Eier

Schnittlauch zum Bestreuen

☐ Die Kartoffeln schälen und waschen.

☐ Die Hälfte des Öls in einer Pfanne von 22 cm Durchmesser erhitzen und die Kartoffeln mit dem Gurkenhobel direkt über der Pfanne schneiden.

☐ Die Zwiebelwürfel untermischen und unter Wenden bei mittlerer Hitze 1 Minute braten.

☐ Die Champignons putzen, kurz abbrausen oder mit Küchenkrepp abreiben. Blättrig schneiden, unter die Kartoffeln mischen und mitbraten. Den Schnittlauch zufügen und mit Salz, Pfeffer und Muskat kräftig würzen. Etwas abkühlen lassen.

☐ Die Eier in einer Schüssel aufschlagen, gut verquirlen und die Kartoffel-Champignon-Mischung zufügen.

☐ Das restliche Olivenöl in die Pfanne geben und heiß werden lassen. Die Mischung einfüllen und 10 Minuten braten. Mit Hilfe eines Tellers wenden und in weiteren 10 Minuten fertiggaren.

☐ Die Tortilla auf einen Teller gleiten lassen und mit kleingeschnittenem Schnittlauch bestreuen. In Tortenstücke schneiden und servieren.

Pro Portion: 710 kcal

AUSGEBACKENE SELLERIESTANGEN
(Foto unten)

Für 4 Personen
1 große Staude Stangen-
sellerie (ca. 1 kg)
3 EL Mehl
Salz
2 Eier
80 g Semmelbrösel
40 g frischgeriebener
Parmesan
Öl zum Ausbacken

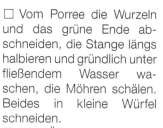

Die Selleriestangen waschen, in Stücke schneiden und vorhandene Fäden abziehen.

☐ Die harten äußeren Stangen vom Sellerie entfernen. Die übrigen Stangen voneinander lösen, waschen, eventuell vorhandene Fäden abziehen. Die Stangen in Stükke schneiden. Mit Küchenpapier trockentupfen.

☐ Die Selleriestücke zunächst in Mehl, dann in den mit Salz verquirlten Eiern und zum Schluß in einer Mischung aus Semmelbröseln und Parmesan wenden.

☐ Reichlich Öl in einer tiefen Pfanne erhitzen, die panierten Selleriestücke nacheinander in das heiße Öl geben und goldbraun ausbacken. Sofort auftragen.

Paßt als Vorspeise oder als Beilage zu Braten, gedämpftem Fisch oder auch zu Kartoffelpüree.

Pro Portion: 305 kcal

ÜBERBACKENE LINSENPLÄTZCHEN

Für 4 Personen
1 kleine Stange Porree
2 mittelgroße Möhren
(ca. 200 g)
5–6 EL Öl
150 g gekochte Linsen
50 g gehackte Walnüsse
100 g Crème fraîche
2 Eier
Salz
Pfeffer aus der Mühle
200 g Bergkäse, frisch
gerieben

☐ Vom Porree die Wurzeln und das grüne Ende abschneiden, die Stange längs halbieren und gründlich unter fließendem Wasser waschen, die Möhren schälen. Beides in kleine Würfel schneiden.

☐ Vom Öl 2 Eßlöffel in einer Kasserolle erhitzen und das Gemüse darin anschwitzen. Die Linsen dazugeben und kurz mitdünsten. Von der Kochstelle nehmen und die Mischung erkalten lassen.

☐ Dann die Walnüsse, Crème fraîche und die Eier unter die Linsenmasse rühren, mit Salz und Pfeffer würzen und kleine, runde Plätzchen daraus formen.

☐ Den Grill vorheizen.

☐ Das restliche Öl in einer beschichteten Pfanne erhitzen und die Linsenplätzchen darin bei mittlerer Hitze von beiden Seiten jeweils 2 Minuten braten.

☐ Die Linsenplätzchen auf Küchenpapier abtropfen lassen, dann auf eine feuerfeste Platte legen, dick mit dem Käse bestreuen und unter dem Grill gratinieren.

Dazu gemischten Salat und eine Kräuter-Käse-Sauce reichen.

Pro Portion: 715 kcal

KÜRBISPFANNKUCHEN
(Foto rechts)

Für 4 Personen

ca. 500 g Kürbis

Salz

2 EL Olivenöl

2 Schalotten

2 Knoblauchzehen

2 EL gehackte Petersilie

½ Bund Basilikum

Pfeffer aus der Mühle

TEIG

150 g Mehl

Salz

0,3 l Milch

3 Eigelb

1 EL zerlassene Butter

3 Eiweiß

1 Msp. Backpulver

Butterschmalz zum Braten

☐ Für den Teig Mehl, Salz, Milch, Eigelb und flüssige Butter zu einem glatten Teig verrühren. Zugedeckt 1 Stunde ruhen lassen.

☐ Kürbis schälen, entkernen und in feine Würfel schneiden oder raspeln. Leicht salzen, in ein Sieb geben und Saft ziehen lassen.

☐ Öl erhitzen. Gehackte Schalotten und geschnittenen Knoblauch darin glasig dünsten. Den gut ausgepreßten Kürbis zufügen und unter Wenden braten, bis alle Flüssigkeit verdampft ist. Mit Kräutern, Pfeffer und Salz würzen und die Masse leicht auskühlen lassen.

☐ Für den Teig Eiweiß und Backpulver steif schlagen. Sorgfältig unter den Teig mischen. Kürbis beigeben und aus dem Teig nacheinander im heißen Butterschmalz Pfannkuchen backen. Zur Hälfte zusammenklappen und bis zum Servieren warm halten. Nach Belieben mit geriebenem Käse. bestreut servieren.

Pro Portion: 500 kcal

PANIERTER KÜRBIS

ca. 1 kg Kürbis

feines Meersalz

Pfeffer aus der Mühle

Muskat

2–3 Eier

3–4 EL gehackte gemischte Kräuter, z. B. Dill, Borretsch, Petersilie

Mehl zum Wenden

Butterschmalz zum Braten

☐ Kürbis schälen, entkernen und in ½ cm dicke Scheiben schneiden. Die Scheiben von beiden Seiten mit Salz bestreuen und 30 Minuten Saft ziehen lassen. Mit Küchenkrepp trockentupfen und mit Pfeffer und Muskat würzen.

☐ Eier mit sehr fein gehackten Kräutern verquirlen. Kürbis in Mehl, dann in Ei wenden. Langsam in mittelheißem Butterschmalz auf beiden Seiten goldgelb braten. Dazu Tomatensauce oder Vinaigrette servieren.

Pro Portion: 250 kcal

CHAMPIGNON-EIER-KÜCHLEIN
(Foto rechts)

Für 4 Personen
500 g Champignons
1 mittelgroße Zwiebel
1 Knoblauchzehe
100 g Möhren
100 g Knollensellerie
1 Bund Petersilie
50 g Butter
4 Eier
2 EL Crème fraîche
Salz
Pfeffer aus der Mühle
VINAIGRETTE
3 EL Distelöl
2 EL Rotweinessig
2 EL gemischte, gehackte
Kräuter
Salz
Pfeffer aus der Mühle

☐ Die Champignons putzen und kurz unter fließendem Wasser waschen. Die Pilze sehr fein hacken. Zwiebel und Knoblauchzehe schälen und fein hacken. Möhren und Sellerie schälen und raspeln. Petersilie waschen, trockenschwenken und fein hacken.

☐ Die Hälfte der Butter in einer Pfanne erhitzen. Zwiebel und Knoblauch darin glasig werden lassen. Gehackte Champignons, Möhren, Sellerie und Petersilie zugeben und kurz mitbraten. Die gebratenen Gemüse in eine Schüssel geben.

☐ Die Eier mit der Crème fraîche verrühren, unter die Gemüse mischen. Die Masse würzig mit Salz und Pfeffer abschmecken.

☐ Die restliche Butter in eine große Pfanne geben und aus der Pilz-Gemüse-Masse 4 kleine Pfannkuchen backen.

☐ Für die Vinaigrette Öl, Essig, Kräuter, Salz und Pfeffer verrühren. Je ein Pilz-Eier-Küchlein lauwarm auf einen Teller geben und mit etwas Vinaigrette beträufeln.
Pro Portion: 340 kcal

BROCCOLI-FRITTATA

Für 4 Personen
ca. 150 g Broccoli
1 kleine Möhre
Salzwasser
2 EL Olivenöl
50 g Butter
Pfeffer aus der Mühle
Muskat
1 Knoblauchzehe
6–8 Eier
2 EL frischgeriebener
Parmesan

☐ Broccoli in sehr kleine Röschen teilen. Möhre schälen, in Stifte schneiden. Gemüse in siedendem Salzwasser kurz überbrühen. Her-ausnehmen, eiskalt abschrecken und gut abtropfen lassen.

☐ Öl und Butter in einer beschichteten Bratpfanne erhitzen. Gemüse darin andünsten, mit wenig Salz, Pfeffer, Muskat und gepreßtem Knoblauch würzen. Eier verquirlen und über das Gemüse gießen. Bei mittlerer Hitze stocken lassen. Sobald die Frittata unten goldgelb gebräunt ist, mit Hilfe eines Deckels oder eines Tellers wenden. Auf der anderen Seite nur noch leicht braten. Geriebenen Käse darüberstreuen.
Pro Portion: 330 kcal

tip

Pikanter wird die Frittata, wenn man drei feingehackte Sardellen und eine Schalotte mit dem Gemüse andünstet.

AUSGEBACKENER SPARGEL
(Foto rechts)

24 Stangen weißer Spargel

Salz

1 Prise Zucker

10 g Butter

150 g Mehl

¼ l trockener Weißwein

2 EL flüssige Butter

2 Eiweiß

3 EL Crème fraîche

Saft von ½ Zitrone

1 hartgekochtes Ei

2 EL gehackte Frühlings-
kräuter

Pfeffer aus der Mühle

Öl zum Ausbacken

☐ Spargel schälen und in reichlich kochendem Wasser mit Salz, Zucker und Butter 10–15 Minuten eben bißfest garen.

☐ Mehl mit Wein und flüssiger Butter gründlich verrühren, salzen und den steifgeschlagenen Eischnee unterziehen.

☐ Für die Sauce Crème fraîche mit Zitronensaft verrühren und das gehackte Ei und die Kräuter untermischen. Mit Salz und Pfeffer pikant abschmecken.

☐ Reichlich Öl in einem ausreichend großen Topf erhitzen. Die Spargelstangen nacheinander in den Teig tauchen und im heißen Fett goldgelb backen. Auf Küchenkrepp abtropfen lassen und sofort mit der Sauce genießen.

Pro Portion: 590 kcal

KÜRBIS-KÄSE-KÜCHLEIN
(Foto links)

Für 4 Personen

ca. 1 kg Kürbis

feines Meersalz

4–6 EL Mehl (gehäuft)

250 g Schafskäse (Feta)

3 Eier

½ Bund Dill

Pfeffer aus der Mühle

Olivenöl zum Braten

2 EL gehackte Kürbiskerne

☐ Kürbis schälen, entkernen und raspeln. Leicht salzen und in einem Sieb Saft ziehen lassen.

☐ Kürbisraspel gut auspressen und in eine Schüssel geben. Mehl darüber sieben. Grob zerteilten Käse, verquirlte Eier und gehackten Dill zugeben und alles vermischen. Das Ganze mit Salz und Pfeffer würzen.

☐ Von der Kürbismasse mit einem Löffel Portionen abstechen, in erhitztes Öl geben, flachdrücken und auf beiden Seiten goldbraun braten. Herausnehmen und mit gehackten Kürbiskernen bestreuen.

Pro Portion: 460 kcal

AUSTERNPILZE WIENER ART
(Foto rechts)

Für 4 Personen
500 g Austernpilze
Salz
Pfeffer aus der Mühle
75 g Mehl
2 Eier
100 g Semmelbrösel
GURKENDIP
2 Becher Sahnejoghurt
Salz
Pfeffer aus der Mühle
2 Knoblauchzehen
300 g Gärtnergurken
½ Bund Basilikum
Pflanzenöl zum Ausbacken
der Pilze
Limettenscheiben zum
Garnieren

☐ Die Austernpilze putzen, kurz unter fließendem Wasser waschen oder mit Küchenpapier sorgfältig abwischen. Die Stiele abschneiden und anderweitig verwenden. Die Pilzhüte salzen und pfeffern und 15 Minuten durchziehen lassen.

☐ Die Pilzhüte zunächst in Mehl wenden, dann durch die verquirlten Eier ziehen und zum Schluß in den Semmelbröseln wälzen. Die Panade mit beiden Händen andrücken.

☐ Für den Gurkendip den Sahnejoghurt mit Salz und Pfeffer verrühren. Die Knoblauchzehen schälen und fein hacken. Die Gurken schälen, halbieren, entkernen und die Hälften in kleine Würfel schneiden. Knoblauch und Gurkenwürfel in den Joghurt rühren. Das Basilikum waschen, bis auf einige Blättchen fein hacken und in die Sauce geben.

☐ Pflanzenöl in einer Pfanne erhitzen, die panierten Pilze darin goldgelb ausbacken.

☐ Frisch aus der Pfanne mit Gurkendip, den Basilikumblättchen und Limettenscheiben anrichten.

Pro Portion: 350 kcal

VEGETARISCHE FRIKADELLEN

Für 4 Personen
je 100 g Möhren, Knollensellerie, Kohlrabi, Zucchini, Gemüsezwiebel
Salz
30 g Butter oder Margarine
Pfeffer aus der Mühle
100 g gekochte Weizenkörner
2–3 Eier
1 EL feingeschnittene Basilikumblätter
5–6 EL Öl zum Braten

☐ Die Gemüse putzen, waschen, schälen und in schmale Streifen schneiden. Reichlich Salzwasser zum Kochen bringen und Möhren-, Sellerie- und Kohlrabistreifen darin blanchieren.

☐ Das Fett in einer Pfanne erhitzen, die Zucchini- und Zwiebelstreifen darin anschwitzen, das blanchierte Gemüse untermischen und mit Salz und Pfeffer würzen. In eine Schüssel geben und abkühlen lassen.

☐ Die Weizenkörner und nach und nach die Eier sowie das Basilikum hinzufügen und alles zu einer formbaren Masse verarbeiten. Bei Bedarf noch nachwürzen und kleine Plätzchen aus der Gemüsemasse formen.

☐ In einer beschichteten Pfanne das Öl erhitzen und die Plätzchen darin von jeder Seite jeweils 3–4 Minuten bei mittlerer Hitze braten. Dazu paßt Kräuter-Crème-fraîche.

Pro Portion: 350 kcal

Die Eiermasse über das Gemüse gießen und stocken lassen.

TORTILLA PRIMAVERA

Für 4 Personen
500 g dünner grüner Spargel
1 große, mehligkochende Kartoffel (150 g)
1 Möhre
2 EL Butter
2 EL Pflanzenöl
100 g zarte grüne TK-Erbsen
Salz
Pfeffer aus der Mühle
8 Eier

☐ Den Spargel waschen und die Kopfenden bis zum holzigen Ansatz in 1 cm dicke Scheiben schneiden. Die Kartoffel schälen, die Möhre putzen, beides in sehr feine Scheiben schneiden.

☐ In einer großen, kunststoffbeschichteten Pfanne 1 Eßlöffel Butter und 1 Eßlöffel Öl erhitzen. Die Kartoffel- und Möhrenscheiben unter ständigem Wenden mit einem Holzlöffel 10 Minuten darin anbraten, ohne Farbe anzunehmen. Die restliche Butter, die Spargelstücke und die Erbsen hinzugeben. Weitere 10 Minuten unter Rühren durchbraten. Mit Salz und Pfeffer würzen. Das Gemüse soll noch einen festen Biß haben.

☐ Die Eier mit etwas Salz in einer Schüssel mit dem Schneebesen gründlich verquirlen, so daß Eigelb und Eiweiß gut vermischt sind. Über das Gemüse gießen und die Eimasse ständig umrühren, bis sie zu stocken beginnt. Dann die Tortilla unter gelegentlichem Schütteln der Pfanne bei leichter Hitze zugedeckt von der Unterseite goldgelb backen. Es soll keine flüssige Eimasse mehr vorhanden sein, wenn die Tortilla gewendet wird. Auf einen großen Teller oder Deckel gleiten lassen und wenden.

☐ Das restliche Öl in die Pfanne geben und die Tortilla von der zweiten Seite goldgelb backen. Dann in Stücke teilen und anrichten. Grünen Salat dazu servieren.

Pro Portion: 305 kcal

KARTOFFELPUFFER

Für 4 Personen

1 kg Kartoffeln

1 TL Salz

2 Eier

4 EL Mehl

1 kleine Zwiebel

Schmalz oder Öl zum Braten

☐ Die Kartoffeln schälen, waschen und auf der Rohkostraffel oder mit der Küchenmaschine grob reiben.

☐ Die geriebenen Kartoffeln auf ein Sieb zum Abtropfen geben, dabei die Flüssigkeit in einer Schüssel auffangen. Die im Kartoffelwasser abgesetzte Stärke mit den geriebenen Kartoffeln, Salz, Eiern

Die geriebenen Kartoffeln mit dem Mehl, den Eiern, Salz und Stärke verrühren.

und Mehl in einer Schüssel zu einem Teig verrühren.

☐ Die Zwiebel schälen, sehr fein hacken und an den Teig geben.

☐ In einer Pfanne reichlich Bratfett erhitzen und, je nach Größe der Pfanne, einen oder mehrere Löffel Teig nebeneinander in die Pfanne geben und glattstreichen. Die Puffer sollen ganz dünn sein. Die Puffer von beiden Seiten knusprig braun braten. Sofort servieren oder nebeneinandergelegt auf einer Platte im Backofen warm halten.

Dazu Apfelmus, Zuckersirup oder Preiselbeeren reichen.

Pro Portion: 335 kcal

ZUCCHINI-SCHUPFNUDELN MIT JOGHURTSAUCE

Für 4 Personen
6 kleine Zucchini
1 kg mehlige Kartoffeln
100 g Mehl
50 g Semmelbrösel
2 Eier
Salz
Pfeffer aus der Mühle
Muskatnuß
Semmelbrösel zum Panieren
Butterschmalz
JOGHURTSAUCE
1 Becher Naturjoghurt
Saft ½ Zitrone
Salz
Pfeffer aus der Mühle
2 EL kleingehackte frische
Kräuter

☐ Die Zucchini waschen, schälen, die Blüten- und Stielansätze abschneiden, der Länge nach halbieren, das Kerngehäuse entfernen und die Zucchinihälften grob raspeln. In ein Sieb geben, mit wenig Salz bestreuen und abtropfen lassen.

☐ Kartoffeln in genügend Wasser weich kochen, schälen und durch die Kartoffelpresse drücken.

☐ Die gut abgetropften Zucchini mit Küchenkrepp sorgfältig trockentupfen.

☐ Für den Kartoffelteig Kartoffeln mit Mehl und Eiern vermischen, mit Salz und Muskatnuß würzen, die geraspelten Zucchini hinzufügen und die Masse rasch zu einem Teig kneten. Bei Bedarf noch etwas Mehl hinzufügen.

☐ Den Teig zu einer Rolle formen und in etwa 1,5 cm dicke Scheiben schneiden. Die Scheiben zu etwa 5 cm langen und fingerdicken Röllchen formen und leicht in Semmelbröseln wenden.

☐ Das Butterschmalz in einer Pfanne erhitzen und die Nudeln portionsweise knusprig darin anbraten. Die fertigen Schupfnudeln mit et-was Fett in eine große Kasserolle geben und zugedeckt ein paar Minuten nachdämpfen lassen.

☐ In der Zwischenzeit die Joghurtsauce zubereiten: Joghurt, Zitronensaft und Öl mischen, mit Salz und weißem Pfeffer abschmecken und zum Schluß die feingehackten Kräuter unterrühren.

☐ Die Schupfnudeln sofort servieren und die Joghurtsauce dazu reichen.
Pro Portion: 470 kcal

tip

Zucchini gehören zur Kürbisfamilie. Wie alle Kürbisgewächse enthalten sie viel Wasser. Bei diesem Rezept würde das den Teig wäßrig machen. Deshalb werden die geraspelten Zucchini mit Salz bestreut – das zieht das Wasser heraus.

FRITIERTE SCHWARZWURZELN

Für 6 Personen
150 g Weizenmehl
0,2 l Apfelwein
2 Eiweiß
Salz
1 kg Schwarzwurzeln
1 EL Zitronensaft
SAUCE
2 Eigelb
2 EL Zitronensaft
½ TL Dijonsenf˙
1 EL Öl
4 EL gehackte Kräuter
100 g Quark
Pfeffer aus der Mühle
Worcestersauce
Öl für die Friteuse

☐ Mehl sieben, mit dem Wein zu einem glatten Teig verrühren und 1 Stunde ruhen lassen.

☐ Schwarzwurzeln waschen, schälen, in 5 cm lange Stücke schneiden und in Salzwasser mit 1 Eßlöffel Zitronensaft in 15 Minuten knapp weich kochen. Im Sud erkalten lassen.

☐ Für die Sauce die Eigelbe mit dem Zitronensaft und dem Senf am besten im Mixer verrühren. Das Öl nach und nach hinzufügen. Kräuter und Quark dazugeben, mit Salz, Pfeffer und Worcestersauce abschmecken.

☐ Die Eiweiße mit 1 Prise Salz steif schlagen und unter den Ausbackteig ziehen.

☐ Öl in einer Friteuse auf 180°C erhitzen.

☐ Schwarzwurzeln abtropfen lassen, durch den Teig ziehen und im heißen Öl schwimmend nicht zu dunkel ausbacken. Gut abtropfen lassen und auf Küchenkrepp legen.

☐ Auf einer flachen Platte anrichten, mit Zitronenvierteln garnieren und mit der Sauce servieren.

Pro Portion: 330 kcal

1. Die Eiweiße mit einer Prise Salz steif schlagen und vorsichtig unter den Teig ziehen.

2. Die Schwarzwurzelstücke durch den Teig ziehen und in dem heißen Öl ausbacken.

GEMÜSEOMELETT
(Foto rechts unten)

Für 4 Personen
500 g junger Blattspinat
4 kleine Zucchini
2 Schalotten
1 Bund Petersilie
6 Basilikumblättchen
2 Salbeiblättchen
6 Eier
Salz
Pfeffer aus der Mühle
Olivenöl zum Braten

☐ Den Spinat sorgfältig säubern und mehrmals in kaltem Wasser waschen. Die Blätter tropfnaß in eine Kasserolle geben, eventuell mit etwas Butter, und zugedeckt bei mittlerer Hitze dünsten, bis die Spinatblätter zusammenfallen. Anschließend den Spinat herausnehmen, abkühlen lassen, gut ausdrücken und kleinhacken.

☐ Die Zucchini waschen, Blüten- und Stielansätze entfernen und die Zucchini in dünne Scheiben schneiden.

☐ Die Schalotten schälen und kleinhacken, Kräuter waschen, die grobe Stiele bei der Petersilie entfernen und alles kleinhacken.

☐ Die Eier in einer großen Schüssel verquirlen, Zucchini, Spinat, Schalotten und Kräuter hinzufügen und alles gut vermischen. Mit Salz und Pfeffer abschmecken.

☐ In einer großen Pfanne genügend Öl erhitzen, den Gemüseteig hineingeben und so lange rühren, bis die Eiermasse zu stocken beginnt. Pfanne zudecken und das Omelett bei geringer Hitze fertig backen. Die Pfanne immer wieder schütteln, damit das Omelett nicht anbäckt. Die Oberseite sollte noch etwas feucht sein.

☐ Auf einer Platte anrichten und vor dem Servieren in vier gleichgroße Dreiecke teilen.
Pro Portion: 200 kcal

GEBRATENER BROCCOLI

Für 4 Personen
ca. 1 kg Broccoli
2 mittelgroße Möhren
10–12 Knoblauchzehen
Salzwasser
4–5 EL Maiskeim- oder Sonnenblumenöl
2 TL Currypulver
½ TL Zucker
1 kleine Limette

☐ Broccoli samt Strunk längs vierteln oder achteln (so daß an den Röschen ein langer Stiel dranbleibt). Möhren schälen, längs in Achtel schneiden. Knoblauchzehen schälen.

☐ Broccoli und Möhren 3 Minuten in siedendem Salzwasser überbrühen. Herausnehmen, kalt abschrecken und abtropfen lassen.

☐ Öl in einer großen Pfanne erhitzen. Ganze Knoblauchzehen darin unter Wenden braten, bis sie leicht gebräunt sind. Das dauert ca. 5 Minuten. Knoblauch herausnehmen und zugedeckt warm stellen.

☐ Gemüse in die Pfanne geben, Currypulver darüberstäuben, dann unter Wenden ebenfalls 5 Minuten braten. Zucker darüberstreuen und leicht karamelisieren lassen. Dann mit dem Knoblauch auf einer vorgewärmten Platte anrichten. Vor dem Servieren das Gemüse mit Limettenachteln garnieren.
Pro Portion: 160 kcal

MÖHREN-QUARK-BRATLINGE

Für 4 Personen
500 g Möhren
1 Zweig Rosmarin
Salz
100 g Magerquark
50 g Haferflocken
50 g geriebener mittelalter Gouda
1 EL gehackte Petersilie
Pfeffer aus der Mühle
2 EL Sonnenblumenkerne
2 EL Öl

tip

Anstelle der Petersilie gemischte Frühlingskräuter hinzufügen.
Die Bratlinge mit Schinkenwürfeln verfeinern.

☐ Die Möhren waschen, schaben und in kleine Stücke schneiden. ¼ Liter Wasser zum Kochen bringen, die Möhren und den Rosmarinzweig hineingeben, salzen und in etwa 20 Minuten weich kochen.

☐ Die Möhren abtropfen lassen, den Rosmarinzweig entfernen und das Gemüse mit dem Quark im Mixer fein pürieren. Haferflocken, Käse und Petersilie untermischen und mit Salz und Pfeffer abschmecken.

☐ Aus der Masse mit nassen Händen 4 runde Bratlinge formen und in den Sonnenblumenkernen wenden, diese gut andrücken.

☐ Das Öl in einer beschichteten Pfanne erhitzen und die Bratlinge darin bei mittlerer Hitze von beiden Seiten 3–4 Minuten goldbraun braten. Beilage zu Kalbsbraten.
Pro Portion: 175 kcal

Haferflocken, Käse und Petersilie unter das Möhren-Quark-Püree mischen.

ZUCCHINIPUFFER

Für 4 Personen

2 mittelgroße Zucchini

(ca. 400 g)

1 kleine Zwiebel

1 Knoblauchzehe

½ Bund Petersilie

100 g Schafskäse (Feta)

1 Ei

Salz

Pfeffer aus der Mühle

3 EL Öl

Mit einem Eßlöffel kleine Häufchen in die Pfanne setzen und flachdrücken.

☐ Die Zucchini waschen, an den Enden abschneiden und das Gemüse grob raspeln.

☐ Zwiebel und Knoblauchzehe schälen und in kleine Würfel schneiden. Die Petersilie hacken und den Schafskäse fein zerdrücken.

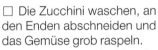

☐ Alles miteinander vermischen, das Ei verquirlen, hinzufügen und gründlich untermischen. Die Gemüsemasse mit Salz und Pfeffer herzhaft würzen.

☐ Das Öl in einer beschichteten Pfanne erhitzen und mit einem Eßlöffel kleine Häufchen in das heiße Fett setzen. Mit dem Löffelrücken flachdrücken und von beiden Seiten jeweils 3–4 Minuten bei mittlerer Hitze braten. Auf einem Küchenpapier abtropfen lassen, sofort servieren. Die Puffer passen als Beilage zu Lamm- oder Kalbsbraten. Mit einer Quarkremoulade ergeben sie eine Mahlzeit für 2 Personen.

Pro Portion: 190 kcal

tip

Unter die Gemüsemasse einige grobgehackte Sonnenblumenkerne mischen.

MÖHRENCURRY MIT BOCKSHORNKLEE

Für 4 Personen
ca. 750 g Möhren
3 Frühlingszwiebeln
2 EL Butter oder Margarine
200 g Sahne oder Crème fraîche
2 TL Currypulver
Salz
Pfeffer aus der Mühle
2–3 Bananen
Saft von ½ Zitrone
2–3 EL Kresse
2–3 EL Bockshornklee-sprossen (aus 1 TL Samen)

☐ Die Möhren waschen, schälen und in feine Scheiben schneiden oder hobeln. Frühlingszwiebeln waschen, putzen und in feine Ringe schneiden. Das Fett in einer Pfanne zerlassen und die Möhren und Zwiebeln darin etwa 5 Minuten andünsten.
☐ Die Sahne zugießen und das Currypulver unterrühren. Noch mal ca. 5 Minuten leise köcheln lassen und abschmecken.
☐ Die Bananen schälen und in Scheiben schneiden. Sofort mit etwas Zitronensaft beträufeln. Bananen zu den Möhren geben und kurz miterhitzen. Zuletzt Kresse und Bockshornkleesprossen untermischen und sofort servieren.
Pro Portion: 350 kcal

1. Die geschälte Sellerieknolle auf der groben Seite einer Rohkostreibe grob raspeln.

2. Milch und Eier dazugeben. Das Mehl und die gehackten Nüsse unterrühren.

ÜBERBACKENE SELLERIEPFANN-KUCHEN
(Foto oben)

Für 4 Personen
1 kleine Sellerieknolle (ca. 400 g)
3 EL Milch
3 Eier
40 g feines Weizenvollkorn-mehl, frisch gemahlen
50 g gehackte Haselnüsse
Salz
Pfeffer aus der Mühle
frischgeriebene Muskatnuß
4–6 EL Öl
4 kleine, feste Tomaten
120 g Parmesan, frisch gerieben

☐ Sellerieknolle schälen und auf der groben Seite der Rohkostreibe raspeln. Milch und Eier dazugeben und unter Rühren das Mehl und die Nüsse hinzufügen. Alles gut vermischen und mit Salz, Pfeffer und Muskat würzen.
☐ Etwas Öl in einer beschichteten Pfanne erhitzen, mit einer Schöpfkelle etwas von der Selleriemasse in die Pfanne geben, gleichmäßig auf dem Pfannenboden verteilen und von beiden Seiten goldbraun backen. Den restlichen Teig auf die gleiche Weise zu Pfannkuchen verarbeiten. Die fertigen Pfannkuchen auf das mit Backpapier ausgelegte Backblech legen.
☐ Den Grill vorheizen.
☐ Die Tomaten in Scheiben schneiden, ringförmig auf den Pfannkuchen anordnen und mit Käse bestreuen. Unter dem Grill kurz gratinieren. Die Pfannkuchen lassen sich vorzüglich mit anderen Gemüsesorten (Zucchini oder Blumenkohl) zubereiten. Beilage zu Fleischspeisen.
Pro Portion: 460 kcal

GEMÜSE-TOFU-BRATLINGE
(Foto unten)

Für 2 Personen
250 g Tofu
150 g Kohlrabi
100 g Möhren
100 g Porree
1 Knoblauchzehe
1 Zwiebel
1 Ei
2 EL gemischte, gehackte Kräuter
1 EL Soja-Sauce
Paniermehl
Salz
Pfeffer aus der Mühle
Butter zum Braten

☐ Tofu fein pürieren. Kohlrabi und Möhren schälen, fein raspeln, Porree putzen, waschen und in hauchdünne Ringe schneiden.

☐ Zwiebel und Knoblauch abziehen, fein würfeln, beides mit dem Gemüse zum Tofu geben.

☐ Mit Ei, Kräutern, Soja-Sauce und soviel Paniermehl vermischen, daß ein fester Teig entsteht. Würzen.

☐ Kleine Frikadellen formen und in erhitztem Fett von beiden Seiten knusprig braten. Mit Reis oder Glasnudeln und Soja-Sauce servieren.
Pro Portion: 220 kcal

DINKELBRATLINGE MIT SPROSSEN-FÜLLUNG

Für 4 Personen
200 g geschroteter Dinkel
1 EL Gemüsebrühepulver
1 Zwiebel
1 Knoblauchzehe
1 EL Pflanzenöl
1 Ei
50 g geriebener Parmesan
1 Bund Petersilie
2–5 EL Brotbrösel
Salz, Pfeffer aus der Mühle
1 Tasse gemischte, pikante Sprossen (z. B. Alfalfa, Rettich aus 1 EL Samen)
Fett zum Braten

1. Den geschroteten Dinkel mit ½ l Wasser bedecken und 2–3 Stunden stehen lassen. Dann im Einweichwasser aufkochen. Instant-Brühe untermischen und ca. 5 Minuten bei geringer Hitze zugedeckt köcheln lassen. Dann vom Herd nehmen und den Dinkel noch ca. 30 Minuten ausquellen lassen.

2. Die Zwiebel und den Knoblauch fein hacken und in erhitztem Öl glasig dünsten. Zusammen mit dem Ei, Käse und der feingehackten Petersilie unter den ausgequollenen Dinkel mischen. Soviel Brotbrösel untermischen, bis die Masse formbar ist, dann abschmecken.

3. Aus der Masse ca. 12 Kugeln formen, flachdrücken und in die Mitte je 1–2 TL Sprossen geben. Den Teig über den Sprossen wieder zusammendrücken, so daß wieder eine Kugel entsteht. Nochmals flachdrücken.

4. Fett in einer Pfanne erhitzen und die Pflanzerl auf beiden Seiten ca. 5 Minuten braten. Als Beilage Gemüse (z. B. Ratatouille) oder Kartoffelsalat reichen.
Pro Portion: ca. 375 kcal

tip

Statt Dinkel können Sie auch Weizen oder Grünkern verwenden.
Dinkel ist übrigens die Wildform des Weizens. Grünkern ist der unreif geerntete Dinkel, der anschließend gedarrt wird. Er hat einen besonders feinen, nußartigen Geschmack.

TIROLER TIRTLEN
(Foto rechts)

Für 4 Personen
TEIG
30 g Butter
250 g Roggenmehl
250 g Weizenmehl
2 Eier
Salz und lauwarmes Wasser
FÜLLUNG
500 g Sauerkraut
1 kleine Zwiebel
3 Wacholderbeeren
5 Pfefferkörner
1 Prise Kümmel
2 EL Butter
1 EL Mehl
0,1 l Weißwein
Salz
Fett zum Ausbacken

☐ Für den Teig die Butter schmelzen und mit Mehl, Eiern und Salz zu einem Teig kneten. Er soll nicht zu fest sein, darum eventuell Wasser zufügen. Zu einer Rolle (ca. 5 cm Durchmesser) formen und ruhen lassen.

☐ Für die Füllung Sauerkraut leicht auspressen und einmal durchhacken. Zwiebel schälen und kleinschneiden. Wacholderbeeren, Pfeffer und Kümmel im Mörser zerstoßen.

☐ In einer Pfanne Butter erhitzen und die Zwiebel darin andünsten. Mit Mehl überstäuben und den Wein einrühren. Etwas einköcheln lassen, Kraut und Gewürze zugeben und ½ Stunde dünsten. Dann abkühlen lassen.

☐ Von der Teigrolle Scheiben abschneiden und zu dünnen, runden Blättern austreiben – den Tirtlen. Einen Löffel Kraut aufsetzen, ein zweites Tirtl darauf legen und an den Rändern fest andrücken.

☐ Tirtlen in reichlich Fett ausbacken, heiß servieren.
Pro Portion: 380 kcal

TOMATEN-EIER-PFANNE

Für 4 Personen
700 g vollreife Tomaten
250 g Zwiebeln
1 EL Sojaöl
100 g durchwachsener Speck
Salz
Pfeffer aus der Mühle
4 Eier
edelsüßer Paprika
2 EL Schnittlauchröllchen

☐ Die Tomaten überbrühen, kalt abschrecken und häuten. Die Stielansätze herausschneiden und die Früchte achteln.

☐ Die Zwiebeln abziehen, halbieren und auf einem Hobel in dünne Scheiben teilen. Speck würfeln.

☐ In einer großen Pfanne das Öl zusammen mit dem Speck erhitzen. Zwiebeln und Tomaten zufügen. Mit Salz und Pfeffer abschmekken. 8 Minuten dünsten.

☐ In das Tomatengemüse 4 Mulden drücken, dahinein die Eier aufschlagen und stocken lassen. Das Eigelb mit etwas Paprika bestäuben, das Gemüse mit dem Schnittlauch bestreuen.
Dazu schmeckt Schwarzbrot oder ofenwarmes Knoblauchbrot.
Pro Portion: 310 kcal

tip

Flaschen- oder Eiertomaten sind für dieses Rezept besonders gut geeignet. Sie haben ein intensives Aroma, das sich auch beim Kochen nicht verliert.

GEBRATENE SELLERIESCHEIBEN MIT SESAMKRUSTE
(Foto rechts)

Für 2 Personen

1 Knollensellerie (ca. 400 g)

1 kleines Ei

20 g Weizenschrot

30 g Sesamkörner

Salz

weißer Pfeffer aus der Mühle

2 EL Öl

1. Die Sellerieknolle waschen und in reichlich kochendem Salzwasser in ca. 40 Minuten gar, aber nicht zu weich kochen.
2. Die Knolle mit kaltem Wasser abschrecken, anschließend die Haut abziehen bzw. schälen.
3. Den etwas abgekühlten Sellerie in 1 cm dicke Scheiben schneiden. Das Ei mit einer Gabel verquirlen, Weizenschrot und Sesamkörner vermischen. Die Selleriescheiben leicht salzen und pfeffern und zuerst in dem Ei, dann in der Sesammischung wenden.
4. Das Öl in einer beschichteten Pfanne erhitzen und die Gemüsescheiben darin bei mittlerer Hitze von beiden Seiten jeweils etwa 3 Minuten goldbraun braten.
Beilage zu Rehbraten, Rehmedaillons oder mit Preiselbeeren als kleine Mahlzeit.
Pro Portion: 325kcal

tip

Sie sparen viel Zeit , wenn Sie die Sellerieknolle in einem Dampfdrucktopf garen. Die Knolle noch heiß schälen, die Haut läßt sich so leichter abziehen.

PAPRIKAPFANNE

Für 4 Personen

1 große Zwiebel

2 EL Olivenöl

750 g Paprikaschoten, rot, grün, gelb

⅛ l Tomatensaft

Salz

schwarzer Pfeffer aus der Mühle

1 TL Paprikapulver, edelsüß

1 Msp. Cayennepfeffer

350 g Kabanossi (polnische Wurst

1 Bund Petersilie

1. Die Zwiebel schälen und mit einem Messer oder auf dem Gemüsehobel in feine Ringe schneiden.
2. Das Olivenöl in einer breiten Pfanne erhitzen und die Zwiebelringe darin glasig dünsten.
3. Die Paprikaschoten längs halbieren, vom Kernhaus befreien und waschen. Dann quer in schmale Streifen schneiden und in die Pfanne geben. Mit dem Tomatensaft übergießen, salzen, pfeffern, mit Paprika und Cayennepfeffer würzen und 15 Minuten köcheln lassen.
4. Die Kabanossi pellen und in nicht zu dicke Scheiben schneiden. Unter das Gemüse mischen und 5 Minuten mitgaren.
5. Die Petersilie abbrausen, trockentupfen und grob hakken. Kurz vor dem Servieren untermischen.
Anstelle der Kabanossi können Sie auch gekochten Schinken, in Streifen geschnitten, untermischen.
Pro Portion: 805 kcal

Gemüse mit Fleisch und Fisch

Die Kombination Gemüse und Fleisch oder Fisch bürgt für vollwertige Ernährung. Der eine liefert die Vitamine, die anderen das wertvolle Eiweiß. In diesem Kapitel finden Sie viele Klassiker, angefangen bei den grünen Bohnen mit Hammelfleisch, dem Pichelsteiner Eintopf oder dem feinen Hühnerfrikassee mit Spargel und Pilzen. Kulinarische und optische Überraschungen hält die Rubrik Fisch bereit, so z. B. zarte Seezungenröllchen oder Lachskoteletts, die auf einem Gemüsebett gegart und angerichtet werden.

PAPRIKASCH
(Foto links)

Für 4 Personen
1 Hähnchen (ca. 1 kg)
Salz
Pfeffer aus der Mühle
1 EL Paprika, edelsüß
3 rote Paprikaschoten
2 große Zwiebeln
2 EL Öl
1 EL Tomatenmark
¼ l Hühnerbrühe (aus Extrakt)
1 EL gehackte Petersilie

☐ Das Hähnchen waschen, trockentupfen und in Teile schneiden, mit Salz, Pfeffer und Paprika einreiben.
☐ Die gewaschenen Paprikaschoten halbieren, Stengelansätze und Samenstränge entfernen und die Schoten in 1 cm große Würfel schneiden. Die Zwiebeln schälen, halbieren und ebenfalls in Würfel schneiden.
☐ Das Öl in einer beschichteten Pfanne erhitzen und die Zwiebeln darin bei mittlerer Hitze glasig braten. Die Paprikaschoten dazugeben und kurz mit anbraten.
☐ Die gewürzten Hähnchenteile in die Gemüsemischung geben und unter Rühren andünsten. Das Tomatenmark unterrühren und mit der Hühnerbrühe aufgießen. Die Pfanne mit einem Deckel verschließen und alles bei schwacher Hitze etwa 20 Minuten köcheln lassen. Dabei gelegentlich umrühren. Mit Petersilie bestreut servieren.
Dazu passen Salzkartoffeln und Endiviensalat.
Pro Portion: 350 kcal

1. Das Hähnchen waschen, trockentupfen und in Teile schneiden.

3. Die Zwiebeln und die Paprika in Öl andünsten, die Hähnchenteile dazugeben.

LAMMGESCHNETZELTES MIT PAPRIKASTREIFEN

Für 4 Personen
600 g Lammfleisch aus der Keule oder dem Rücken
3 EL Olivenöl
1 große Zwiebel, fein gehackt
3 Knoblauchzehen
1 Glas rote, abgezogene Paprikaschoten
(200 g Abtropfgewicht)
Salz
schwarzer Pfeffer aus der Mühle
1 Msp. Cayennepfeffer
1 TL Paprika, edelsüß
3 EL Tomatenmark
4 EL Crème fraîche
Saft von ½ Zitrone
1 Bund glatte Petersilie

☐ Das Fleisch waschen, trockentupfen und erst in Scheiben, dann in fingerbreite Streifen schneiden.
☐ Das Olivenöl in einem breiten Topf oder einer Pfanne mit hohem Rand erhitzen. Die Fleischstreifen darin portionsweise kurz, aber kräftig anbraten.
☐ Die Zwiebelwürfel unter

2. Die Paprikaschote waschen, halbieren und die Kerne entfernen.

4. Das Tomatenmark unterrühren und die heiße Hühnerbrühe angießen.

das Fleisch mischen. Die Knoblauchzehen schälen und dazupressen.
☐ Die Paprikaschoten abtropfen lassen, in schmale Streifen schneiden und untermischen. Alles mit Salz, Pfeffer, Cayennepfeffer und Paprika würzen. Das Tomatenmark, die Crème fraîche und den Zitronensaft unterrühren und alles 10 Minuten köcheln.
☐ Die Petersilie abbrausen und trockentupfen. Die Blättchen direkt über dem Topf abzupfen und vor dem Servieren unterheben.
Pro Portion: 530 kcal

MÖHREN MIT RINDFLEISCH UND CHILI

Für 4 Personen
600 g Rindfleisch (flaches Filet)
1 Chilischote
1 TL abgeriebene Schale einer unbehandelten Zitrone
4 EL Sojasauce
4 EL Öl
Salz
Pfeffer aus der Mühle
500 g Möhren
⅛ l Fleischbrühe
1 Bund Petersilie

☐ Das Rindfleisch quer zur Faser in dünne Streifen schneiden.
☐ Die Chilischote längs aufschlitzen, Kerne entfernen und in sehr feine Ringe schneiden.
☐ Die Fleischstreifen mit der Chilischote, der Zitronenschale, Sojasauce und 2 Eßlöffeln Öl in einer Schüssel mischen, salzen und pfeffern. Gut zugedeckt 30 Minuten im Kühlschrank ziehen lassen.
☐ Die Möhren schälen, waschen und in streichholzlange Stifte schneiden.
☐ Das Fleisch aus der Marinade nehmen, gut abtropfen lassen und in einer großen Pfanne im restlichen Öl portionsweise kräftig anbraten.
☐ Die angebratenen Fleischstreifen mit den Möhrenstiften in die Pfanne geben und mit der Marinade und der Fleischbrühe übergießen. Aufkochen und zugedeckt bei milder Hitze 10 Minuten schmoren.
☐ Die Petersilie abbrausen, von den Stengeln zupfen, mittelfein hacken und zum Schluß einstreuen.
Dazu paßt Reis und Broccoligemüse.
Pro Portion: 360 kcal

FLEISCHRÖLLCHEN MIT MÖHRENFÜLLUNG
(Foto links)

Für 4 Personen
4 kleine Möhren (ca. 250 g)
2 Stangen Porree
Salz
8 dünne Scheiben durch-wachsener Speck
8 dünne Schweineschnitzel (je ca. 80 g)
Pfeffer aus der Mühle
2 TL scharfer Senf
1 TL Oregano
3 EL Butterschmalz
⅜ l Fleischbrühe
600 g Kartoffeln
1 Bund Schnittlauch

☐ Die Möhren putzen und längs vierteln. Porree putzen, und waschen. Eine Porree-stange in Stücke schneiden (von der Länge der Möhren), die zweite in feine Ringe.

☐ Erst die Möhren, dann die Porreestangen in kochen-dem Salzwasser zwei Minu-ten blanchieren, eiskalt ab-schrecken und sehr gut ab-tropfen lassen. Die Porreerin-ge beiseite stellen.

☐ Den Speck von der Schwarte befreien. Die Schnitzel nebeneinander le-gen, salzen, pfeffern, dünn auf einer Seite mit Senf be-streichen und mit je einer Scheibe Speck belegen.

☐ Die Porree- und Möhren-streifen darauflegen, salzen, pfeffern, mit Oregano be-streuen und die Schnitzel von der Schmalseite her zusam-menrollen. Mit Zahnstochern zusammenstecken.

☐ Die Fleischröllchen in hei-ßem Butterschmalz rundum kräftig anbraten, mit Brühe ablöschen und 45 Minuten zugedeckt schmoren.

☐ Kartoffeln schälen, wa-schen, vierteln und mit den Porreeringen um die Fleisch-röllchen streuen. Salzen, pfef-fern und alles weitere 30 Mi-nuten garen. Mit Schnitt-lauchröllchen bestreuen.
Pro Portion: 670 kcal

ENTE MIT WIRSING GESCHMORT

1 fleischige Ente
3 EL Butter
2 mittlere Wirsingköpfe (à 600 g)
Salz
Pfeffer aus der Mühle
100 g Speckscheiben
0,2 l Wasser

☐ Ente waschen und gut trockentupfen. In einem wei-ten Bräter die Butter erhitzen und die Ente ringsum hell an-braten.

☐ Die Wirsingköpfe putzen, waschen und trockenschüt-teln. Die Köpfe so halbieren, daß die Hälften noch zusam-menhalten. Diese mit Salz bestreuen.

☐ Ente aus dem Bräter neh-men, innen und außen mit Pfeffer und Salz bestreuen. Den Boden des Bräters mit Speckscheiben auslegen und die Ente darauf betten. Mit den vier Wirsinghälften umlegen und das Wasser an-gießen.

☐ Deckel aufsetzen und bei mittlerer Hitze 1½ Stunden schmoren. Mit Salzkartoffeln servieren.
Pro Portion: 1200 kcal

SCHNITZEL MIT SPARGEL UND ORANGENSAUCE

Für 4 Personen

20 Stangen weißer Spargel

Salz

1 TL Zucker

100 g Butter

8 dünn geschnittene Kalbs-schnitzel (je 80 g)

Pfeffer aus der Mühle

2 EL Öl

⅛ l Weißwein

Saft von 2 Orangen

abgeriebene Schale von

1 unbehandelten Orange

2 cl Grand Marnier

☐ Die Spargelstangen schälen und in reichlich Wasser mit Salz, Zucker und 20 g Butter in 15–20 Minuten biß-fest kochen.

☐ Die Schnitzel salzen und pfeffern. 20 g Butter und das Öl erhitzen und die Schnitzel darin von beiden Seiten kurz anbraten.

☐ Das Fleisch herausnehmen und warm stellen. Das Bratfett abgießen und mit dem Wein aufgießen. Etwas einkochen lassen, dann den Orangensaft und die Hälfte der Orangenschale sowie den Likör hinzufügen und die Flüssigkeit um die Hälfte einkochen lassen. Von der Kochstelle nehmen und die restliche, gut gekühlte Butter in kleinen Flöckchen mit einem Schneebesen unter die Sauce rühren. Die Sauce mit Pfeffer und etwas Salz würzen.

☐ Jeweils 2 Schnitzel nebeneinander auf einen Teller legen, 5 gut abgetropfte Spargelstangen fächerförmig darauf anordnen, mit etwas Sauce begießen und mit der restlichen Orangenschale bestreuen.

Pro Portion: 440 kcal

SPANISCHER COCIDO

Für 6 Personen
600 g Rindfleisch (Hüfte oder
Schale)
300 g Beinscheibe mit Mark
300 g Rauchfleisch
300 g Wirsing oder Weißkohl
200 g Kartoffeln
200 g Möhren
200 g weiße Rüben (Teltower)
2 Zwiebeln
2 Bund Suppengrün
1 Poularde (1200 g)
Salz
Pfeffer aus der Mühle
6 Chorizos (geräucherte
Knoblauchwürste)
100 g feine Suppennudeln
1 Knoblauchzehe
2 EL Olivenöl

☐ Alle Fleischsorten in einem großen Suppentopf mit etwa 3 Litern Wasser aufkochen. Schaum abschöpfen, Hitze reduzieren und 1 Stunde köcheln lassen.

☐ Kohl putzen, grob zerschneiden und waschen. Kartoffeln, Möhren und Rüben schaben beziehungsweise schälen und grob zerkleinern. Zwiebeln schälen und vierteln. Suppengrün putzen und fein schneiden.

☐ Die Poularde waschen, halbieren und 15 Minuten im Fleischtopf mitsieden.

☐ Dann das Gemüse in den Topf geben und alles weitere 30 Minuten garen, salzen und pfeffern.

☐ Fleisch und Huhn aus dem Topf nehmen. Würste zum Gemüse geben und Hitze abstellen. Fleisch und Huhn in je 6 Portionsstücke teilen und auf einer vorgewärmten Platte anrichten. Mit etwas Brühe übergießen und im Ofen heiß halten.

☐ Die Gemüsesuppe durch ein Sieb in eine Kasserolle gießen. Die Würste zum Fleisch auf die Platte legen. Gemüse im Sieb abtropfen lassen. Die Brühe aufkochen. Nudeln dazugeben und in 10 Minuten weich köcheln.

☐ Knoblauchzehe schälen, hacken und in einer großen Pfanne mit Olivenöl anbraten. Das Gemüse zugeben, durchdünsten und auf einer zweiten Platte im Ofen heiß halten.

☐ Als ersten Gang die Nudelsuppe servieren. Als Hauptgang reicht man dann Fleisch- und Gemüseplatte mit einer Knoblauch-Mayonnaise, Weißbrot und kräftigem spanischen Rotwein.
Pro Portion: 860 kcal

tip

Weißkohl oder Weißkraut ist das ganze Jahr über erhältlich. Achten Sie beim Einkauf darauf, daß die Köpfe fest geschlossen sind.

GRÜNE BOHNEN MIT HAMMELFLEISCH

Für 4 Personen
500 g Hammelfleisch
(vom Nacken)
2 Zwiebeln
800 g grüne Bohnen
¼ Bund Bohnenkraut
500 g Kartoffeln
Salz
Pfeffer aus der Mühle
1 Bund Petersilie

☐ Das Hammelfleisch in kräftige Würfel schneiden. Die Zwiebeln schälen, halbieren und in Scheiben schneiden. Fleisch und Zwiebeln mit reichlich Wasser bedecken und 20 Minuten kochen, dabei den entstehenden Schaum abschöpfen.

☐ Die Bohnen waschen, entfädeln und in Stücke brechen. Das Bohnenkraut waschen und mit Küchenschnur zusammenbinden. Beides zum Fleisch geben und alles weitere 20 Minuten köcheln lassen.

☐ Die Kartoffeln schälen, klein würfeln, zum Fleisch geben und den Eintopf zugedeckt weitergaren, bis die Kartoffelwürfel zerkochen und die Brühe sämig wird. Das Bohnenkraut entfernen, den Eintopf mit Salz und Pfeffer abschmecken, mit Petersilie bestreut servieren.
Pro Portion: 510 kcal

HÜHNERFRIKASSEE MIT SPARGEL
(Foto unten)

Für 4 Personen
1 junges, küchenfertiges
Suppenhuhn
1 Bund Suppengrün
5 Pfefferkörner, Salz
1½ l Wasser
500 g weißer Spargel
½ TL Zucker
30 g Butter
150 g kleine Champignons
Saft und Schale von
1 unbehandelten Zitrone
4 EL Crème fraîche
etwas geriebene Muskatnuß
Pfeffer aus der Mühle
2 Eigelb
1 EL gehackte Petersilie

☐ Das Suppenhuhn waschen und mit dem gewaschenen und kleingeschnittenen Suppengrün, Pfefferkörnern sowie Salz in das Wasser geben und in 1½–2 Stunden weich kochen.

☐ Den Spargel schälen, in 3 cm lange Stücke schneiden und in wenig Wasser mit Salz, Zucker und 10 g Butter in 10 Minuten nicht völlig gar kochen. Champignons putzen, waschen und abtrocknen. Die restliche Butter erhitzen und die Pilze darin wenige Minuten anbraten. Beiseite stellen.

☐ Das weich gekochte Geflügel aus der Brühe nehmen und etwas abkühlen lassen. Dann sorgfältig enthäuten und entbeinen. Das Fleisch in mundgerechte Stücke schneiden.

☐ Die Brühe auf etwa ⅜ l einkochen lassen, Zitronensaft und die Hälfte der Schale sowie die Crème fraîche dazugeben und so lange kochen lassen, bis die Sauce leicht dicklich wird.

☐ Das klein geschnittene Fleisch, die abgetropften Spargelstücke und die Pilze dazugeben und mit Salz, Muskat und frisch gemahlenem Pfeffer abschmecken. Die Sauce mit dem verquirlten Eigelb legieren, noch einmal erhitzen, aber nicht mehr kochen lassen, da sonst die Eidotter ausflocken. Mit der restlichen Zitronenschale und der Petersilie bestreut servieren.

Dazu Bandnudeln oder Reis servieren.
Pro Portion: 330 kcal

BIRNEN, BOHNEN UND SPECK

(Foto rechts)

Für 4 Personen
800 g Brechbohnen
4 Scheiben Rauchfleisch oder
Schinkenspeck (à 150 g)
6–8 kleine Kochbirnen
Thymian
Salz
Pfeffer aus der Mühle
2 TL Stärkemehl

☐ Die Bohnen waschen, entfädeln und in Stücke brechen. Die Speckscheiben kurz in kochendes Wasser tauchen und abtupfen. Die Birnen waschen und unten einschneiden. Die Blütenansätze entfernen, die Stiele jedoch nicht.

☐ Den Boden einer Kasserolle mit den Speckscheiben auslegen. Die Bohnen daraufgeben und mit einer guten Prise Thymian, Salz und Pfeffer würzen. Knapp mit Wasser bedeckt 15 Minuten bei mittlerer Hitze köcheln lassen.

☐ Die Birnen auflegen und zugedeckt in weiteren 15 Minuten weich dünsten.

☐ Die Kasserolle vom Herd nehmen. Die Flüssigkeit vorsichtig abgießen, mit Stärkemehl binden, wieder über Bohnen, Birnen und Speck gießen und noch einmal rasch aufkochen.
Pro Portion: 550 kcal

GESCHNETZELTES MIT AUSTERNPILZEN

Für 4 Personen
250 g Austernpilze
250 g Kalbsschnitzel
2 Zwiebeln
4 EL Sonnenblumenöl oder
Olivenöl
Pfeffer aus der Mühle
1 EL Roggenmehl
0,1 l Fleischbrühe
250 g Sahne
Salz
1 Bund Petersilie
1 Bund Kerbel

☐ Die Austernpilze putzen, kurz unter fließendem Wasser waschen oder mit Küchenpapier sorgfältig abwischen. In dünne Scheibchen schneiden. Die Kalbsschnitzel waschen, trockentupfen und in feine Streifen schneiden. Die Zwiebeln schälen und fein hacken.

☐ Das Öl in einer schweren Pfanne erhitzen, die Zwiebeln darin glasig braten. Das Fleisch zugeben und unter Rühren anbraten. Die Pilze zufügen und ebenfalls braten. Fleisch und Pilze mit Pfeffer übermahlen. Das Mehl darüberstäuben, unter Rühren die Fleischbrühe angießen und das Geschnetzelte in 15 Minuten garen.

☐ Die Sahne angießen, mit Salz abschmecken.

☐ Die Petersilie und den Kerbel waschen, trockenschwenken, fein hacken und über das Geschnetzelte streuen.
Dazu passen Rösti oder Spinatnudeln.
Pro Portion: 400 kcal

GRIECHISCHER HACKBRATEN
(Foto rechts)

Für 4 Personen
250 g Möhren
Zitronensaft
150 g griechischer Schafskäse (Feta)
600 g gemischtes Hackfleisch
2 Eier
6 EL Semmelbrösel
60 g Walnüsse, gehackt
Salz
Pfeffer aus der Mühle
3 Knoblauchzehen
2 Bund Petersilie
Fett zum Braten

☐ Die Möhren schälen und mittelfein raspeln, mit Zitronensaft beträufeln.
☐ Den Schafskäse zwischen den Fingern zerbröseln, dann mit den Möhren und dem Hackfleisch mischen. Eier, Semmelbrösel und Walnüsse zufügen. Alles gut mischen und mit Salz und Pfeffer kräftig würzen.
☐ Den Knoblauch schälen und dazudrücken. Die Petersilie abbrausen, von den Stengeln zupfen, mittelfein hacken und unterarbeiten.
☐ Den Backofen auf 200 °C vorheizen.
☐ Die Masse zu einem kleinen Laib formen und in einen gefetteten Bräter setzen. Im Backofen 60 Minuten braten.
☐ Den Hackbraten in Scheiben schneiden und mit Kartoffelpüree und Salat servieren.
Pro Portion: 630 kcal

SHIITAKEPILZE MIT KALBSSCHNITZEL
(Foto links unten)

Für 4 Personen
250 g Shiitakepilze
1 kleine Zwiebel
4 Kalbsschnitzel (à 150 g)
Salz
Pfeffer aus der Mühle
1 EL Öl
10 g Butter
⅛ l Kalbsfond (aus dem Glas)
Saft und Schale von ½
unbehandelten Zitrone
1 EL gehackte Petersilie

☐ Die Pilze putzen und in kleine Stücke schneiden. Die Zwiebel schälen und fein hacken.
☐ Die Schnitzel trockentupfen, mit Salz und Pfeffer einreiben. Öl und Butter in einer beschichteten Pfanne erhitzen und das Fleisch darin bei starker Hitze von beiden Seiten kurz anbraten. Die Schnitzel herausnehmen und zugedeckt warm halten.
☐ Zwiebeln und Pilze in das Bratfett geben und darin anschwitzen. Mit Kalbsfond aufgießen und Zitronensaft und -schale dazugeben. Bei starker Hitze einmal aufkochen lassen, dann zugedeckt bei mittlerer Hitze etwa 5 Minuten dünsten.
☐ Die Schnitzel zurück in die Pfanne geben, ohne Abdeckung noch 2–3 Minuten köcheln lassen, dann mit Petersilie bestreuen.
Als Beilage Salzkartoffeln und grünen Salat reichen.
Pro Portion: 210 kcal

PILZ-MÖHREN-GEMÜSE MIT HACK-FLEISCHBÄLLCHEN
(Foto links)

Für 4 Personen

1 altbackenes Brötchen

1 mittelgroße Zwiebel

1 EL Butter

2 Knoblauchzehen

1 Bund Petersilie

500 g gemischtes Hackfleisch

1 Ei

Salz

Pfeffer aus der Mühle

1 TL Curry

4 EL Olivenöl

250 g Möhren

300 g Austernpilze

4 cl trockener Sherry

250 g Sahne

Zitronensaft

☐ Das Brötchen in Wasser einweichen.

☐ Die Zwiebel schälen, sehr fein hacken und in heißer Butter weich dünsten. Den Knoblauch schälen und dazupressen.

☐ Die Petersilie abbrausen, die Blättchen abzupfen und fein hacken. Die Hälfte davon mit dem Hackfleisch und dem Ei in eine Schüssel füllen. Das Brötchen gut ausdrücken und mit der Zwiebel-Knoblauch-Mischung zufügen. Alles gut durchmischen und den Teig mit Salz, Pfeffer und Curry kräftig würzen.

☐ Aus der Fleischmasse tischtennisballgroße Bällchen formen und diese in 3 Eßlöffeln heißem Olivenöl rundum 15 Minuten braten. Warm stellen.

☐ Für das Gemüse die Möhren schälen und in kleine Würfel schneiden. Im restlichen Olivenöl in einer großen Pfanne braten. Die Austernpilze abreiben, von den harten Stellen befreien und in schmale Streifen schneiden. Zu den Möhren geben und 10 Minuten dünsten.

☐ Mit Sherry ablöschen, etwas einkochen lassen, die Sahne zufügen und weitere 10 Minuten dünsten. Das Möhren-Pilz-Gemüse mit Salz, Pfeffer und Zitronensaft abschmecken und die restliche gehackte Petersilie einstreuen. Mit den Hackfleischbällchen sofort servieren.
Pro Portion: 700 kcal

ZUCCHINI-HUHN-EINTOPF MIT REIS
(Foto rechts)

Für 4 Personen

3 fertige, halbe Grillhähnchen

1 mittelgroße Zwiebel, fein gehackt

2 EL Butter

1 Knoblauchzehe

3 Zucchini (ca. 220 g)

200 g Kurzzeitreis

1 l Hühnerbrühe (Extrakt)

Salz

Pfeffer aus der Mühle

Saft ½ Zitrone

1 Prise Muskat, frisch gerieben

1 Bund Basilikum

☐ Die Grillhähnchen häuten, das Fleisch von den Knochen lösen und klein schneiden.

☐ Die Zwiebel in heißer Butter in einem großen Topf glasig dünsten. Die Knoblauchzehe dazupressen.

☐ Die Zucchini waschen, vom Stengelansatz befreien und auf dem Gemüsehobel in feine Scheiben hobeln, zufügen und kurz mitdünsten. Das Hähnchenfleisch untermischen.

☐ Den Reis einstreuen, durchrühren und mit der Hühnerbrühe aufgießen, aufkochen und fünf Minuten köcheln lassen. Mit Salz, Pfeffer, Zitronensaft und Muskat würzen.

☐ Zum Schluß die abgezupften Basilikumblättchen einstreuen.
Pro Portion: 690 kcal

PAPRIKA-PILZ-LECSÓ

Für 4 Personen

300 g gelbe, ungarische Paprikaschoten

250 g Champignons oder Egerlinge

250 g Eiertomaten

250 g Kalbsschnitzel

1 große weiße Zwiebel

1 Knoblauchzehe

4 EL Sonnenblumenöl

Salz

Pfeffer aus der Mühle

☐ Die Paprikaschoten waschen, halbieren, Stengelansätze, Kerne und Scheidewände entfernen. Die Paprika in sehr feine Streifen schneiden. Die Champignons putzen, kurz unter fließendem Wasser waschen oder mit Küchenpapier sorgfältig abwischen und in Scheiben schneiden. Tomaten mit kochendem Wasser übergießen, häuten, entkernen und die Stengelansätze wegschneiden. Tomaten in kleine Würfel schneiden. Das Fleisch ebenfalls würfeln. Die Zwiebel und den Knoblauch schälen und fein hacken.

☐ Das Öl in einer Pfanne erhitzen. Zwiebel und Knoblauch darin glasig werden lassen. Das Fleisch zugeben und von allen Seiten bräunen. 10 Minuten zugedeckt braten. Die Pilzscheiben zugeben und solange mitbraten, bis die austretende Pilzflüssigkeit eingekocht ist. Fleisch und Pilze mit Salz und Pfeffer würzen.

☐ Die Paprikastreifen untermischen und das ganze weitere 5 Minuten garen. Zum Schluß die Tomaten unter die Gemüse rühren. Das Lecsó weitere 5 Minuten dünsten lassen und nochmals abschmecken. Zu Reis oder Teigwaren servieren.

Pro Portion: 210 kcal

Zuerst die dunklen Stielenden von den Champignons abschneiden. Dann erst die Pilze in Scheiben schneiden.

tip

Lecsó ist ein Gericht der klassischen ungarischen Küche und kann auch ganz ohne Fleisch zubereitet werden. Dann mischt man aber etwas geräucherte Wurst oder Speck unter das Gemüse. Die Tomaten sollten reif sein, damit der Geschmack des Gerichts wirklich ausgewogen ist; sind sie nicht süß genug, kann man etwas Honig zugeben.

CHINAPFANNE
(Foto rechts)

Für 4 Personen
250 g Rinderfilet
MARINADE
¼ TL Zucker
½ EL Speisestärke
2–3 EL Sojasauce
2 EL Maiskeimöl
6 EL trockener Sherry
3 EL trockener Weißwein
1 TL geraspelte Ingwerwurzel
Pfeffer aus der Mühle
AUSSERDEM
500 g Broccoli
Salz
2 Möhren
2 Stangen Staudensellerie
2 Frühlingszwiebeln
250 g Sojasprossen
3 EL Maiskeimöl
Pfeffer aus der Mühle
Korianderblättchen

□ Filet in dünne Scheibchen schneiden. Für die Marinade alle Zutaten vermischen und die Hälfte davon über das Fleisch geben. Zugedeckt 30 Minuten ziehen lassen.

□ Broccoli in kleine Röschen teilen. In siedendem Salzwasser 2 Minuten garen. Kalt abschrecken und gut abtropfen lassen. Möhren in Scheiben, Staudensellerie und Frühlingszwiebeln in Stücke schneiden. Sojasprossen unter fließendem Wasser waschen, verlesen und gut abtropfen lassen.

□ Fleisch aus der Marinade nehmen und trockentupfen. Marinade beiseite stellen. Öl in einem Wok oder einer großen Pfanne erhitzen. Fleisch darin unter Wenden anbraten. Herausnehmen und zugedeckt warm stellen.

□ Vorbereitetes Gemüse im verbliebenen Bratfett ebenfalls unter Rühren braten. Fleisch und Sojasprossen dazugeben. Mit der Marinade ablöschen, aufkochen, salzen und pfeffern. Abgezupfte Korianderblättchen darüberstreuen.

Pro Portion: 280 kcal

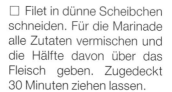

tip

30 g geröstete Erdnußkerne über das Gericht streuen oder andere Gemüse wie China- oder Weißkohl, Porree usw. für dieses Gericht verwenden.

BOHNEN-MÖHREN-GEMÜSE MIT KASSELER

Für 4 Personen
600 g Kassler (ausgelöst)
2 EL Butter
Pfeffer aus der Mühle
⅜ l Fleischbrühe
750 g junge Möhrchen
1 kg zarte dicke Bohnen
Salz
Saft von ½ Zitrone
½ Bund frische Minze

□ Das Kassler in Würfel von 1,5 cm Kantenlänge schneiden. In einem breiten Topf in heißer Butter rundum kurz braten. Mit Pfeffer würzen und mil der Fleischbrühe auf-

gießen. 20 Minuten köcheln lassen.

□ Die Möhren abschrubben, nicht so junge schälen, und schräg in ½ cm dicke Scheiben schneiden.

□ Die Bohnen aus den Hülsen lösen und die dicken Häutchen abziehen. Zusammen mit den Möhren in den Topf zu dem Kasseler geben und 10 Minuten leise köcheln.

□ Den Eintopf mit Salz, Pfeffer und Zitronensaft abschmecken.

□ Die Minze abbrausen, die Blättchen von den Stengeln zupfen und in den Eintopf streuen.

Pro Portion: 625 kcal

PICHELSTEINER
(Foto unten)

Für 6 Personen
600 g Schmorfleisch von Rind,
Schwein und Lamm
3 Zwiebeln
2 EL Schmalz
Majoran
Pfeffer aus der Mühle
Salz
300 g Kartoffeln
300 g Möhren
2 Stangen Porree
1 kleine Knolle Sellerie (200 g)
½ Kopf Weißkohl oder
Wirsing (ca. 400 g)
½ l Fleischbrühe (Extrakt)
etwas Petersilie

☐ Fleisch in nicht zu große Würfel schneiden. Zwiebeln schälen und grob schneiden.
☐ In einer großen Kasserolle Schmalz erhitzen, erst Zwiebeln und dann das Fleisch anbraten. Mit etwas Majoran, Pfeffer und Salz würzen. Vom Herd nehmen.
☐ Kartoffeln schälen und in Würfel schneiden, Möhren schaben und in Scheiben schneiden. Das Weiße vom Porree waschen und in Ringe schneiden. Sellerie gut schälen und klein würfeln. Kohl putzen, in kräftige Stücke schneiden und waschen. Alle Gemüse mischen.

☐ Zwei Drittel des Schmorfleischs aus der Kasserolle nehmen. Das verbleibende Drittel mit einem Drittel des vorbereiteten Gemüses bedecken. Darauf nun das zweite Drittel Fleisch und Gemüse, dann das letzte Drittel Fleisch und Gemüse füllen, pfeffern und salzen. Mit Fleischbrühe angießen und den Deckel aufsetzen.
☐ Den Pichelsteiner bei mäßiger Hitze 1½ Stunden auf dem Herd garen. Oder: 2 Stunden bei 180°C im Ofen. Mit frisch gehackter Petersilie bestreut servieren.
Pro Portion: 370 kcal

SCHWEINEFLEISCH-TOMATEN-CURRY

Für 4 Personen
750 g Schweineschulter
3 EL Öl
1 große Zwiebel, fein
gehackt
2 EL Currypulver
Salz
schwarzer Pfeffer aus der
Mühle
1 große Dose Tomaten
(850 ml)
1 Lorbeerblatt
½ Bund Frühlingszwiebeln

☐ Das Fleisch in 1 cm große Würfel schneiden. Das Öl in einem breiten Topf erhitzen und das Fleisch darin portionsweise kräftig anbraten.
☐ Die Zwiebelwürfel untermischen und mit dem Currypulver bestäuben. Kurz anschwitzen lassen, salzen und pfeffern.
☐ Die Tomaten samt Saft zufügen, das Lorbeerblatt einlegen und aufkochen. Zugedeckt im geschlossenen Topf 20 Minuten köcheln lassen.
☐ Inzwischen die Frühlingszwiebeln putzen, waschen und in schmale Ringe schneiden.
☐ Das Schweineragout abschmecken und, falls nötig, nachwürzen. Die Frühlingszwiebeln unterheben.
Pro Portion: 650 kcal

GRÜNKOHL MIT PINKEL
(Foto unten)

Für 4 Personen
1 Grünkohl (ca. 1000 g)
2 Zwiebeln
2 EL Schweineschmalz
Pfeffer aus der Mühle
¼ l Fleischbrühe (Extrakt)
250 g Rauchfleisch
300 g geräucherte Mettwurst
400 g Pinkel (Grützwurst)
2 EL Haferflocken
etwas Salz und Zucker

☐ Grünkohl putzen, die Blätter vom Strunk lösen und waschen. Dann 2 Minuten in siedendem Wasser blanchieren, herausnehmen und grob hacken.

☐ Zwiebeln schälen, hacken und in einer großen Kasserolle mit dem Schmalz hell anbraten.

☐ Grünkohl zugeben und unter Rühren andünsten. Pfeffern, Fleischbrühe angießen und 30 Minuten köcheln lassen.

☐ Dann das Rauchfleisch einlegen, Deckel aufsetzen und weitere 15 Minuten garen.

☐ Nun die in Scheiben geschnittene Mettwurst und Pinkel dazu legen und 20 Minuten bei geringer Hitze ziehen lassen.

☐ Haferflocken einrühren und in knapp 10 Minuten aufquellen lassen. Mit Pfeffer, wenig Salz und eventuell auch etwas Zucker abschmecken.

Pro Portion: 875 kcal

GURKENGEMÜSE MIT LAMMKOTELETTS

Für 4 Personen
1 große Salatgurke
2 EL Butter
2 Knoblauchzehen
Salz
Pfeffer aus der Mühle
6 EL Crème fraîche
1 Bund Dill
3 EL Olivenöl
8 Lammkoteletts (à 80 g)
2 TL Rosmarin, fein gehackt

☐ Die Salatgurke schälen, längs halbieren und die Kerne mit einem Löffel herausschaben. Die Gurkenhälften in sehr schmale Scheiben schneiden.

☐ Die Butter in einem Topf erhitzen und die Gurkenscheiben darin 5 Minuten dünsten. Den Knoblauch schälen und dazudrücken. Das Gemüse salzen, pfeffern und die Crème fraîche untermischen. Weitere 5 Minuten dünsten.

☐ Inzwischen den Dill abbrausen, trockentupfen, abzupfen, fein hacken und einstreuen.

☐ Das Olivenöl in einer großen Pfanne erhitzen und die Lammkoteletts darin auf jeder Seite 2–3 Minuten braten. Nach dem Wenden salzen, pfeffern und mit den Rosmarinnadeln bestreuen.

☐ Das Gurkengemüse mit den Lammkoteletts auf Tellern anrichten.

Pro Portion: 745 kcal

RINDERFILET IN MANGOLDHÜLLE

Für 4 Personen

400 g Pfifferlinge

2 Schalotten

40 g geklärte Butter

Salz

weißer Pfeffer aus der Mühle

100 g Sahne

1 Bund Petersilie

1–2 EL Semmelbrösel

4 Scheiben Rinderfilet (à 80 g)

4 große Mangoldblätter

☐ Die Pfifferlinge putzen und in kleine Stücke, die geschälten Schalotten in kleine Würfel schneiden. Die geklärte Butter in einer Kasserolle erhitzen und beides darin bei mittlerer Hitze anschwitzen. Mit Salz und Pfeffer würzen, mit Sahne aufgießen und bei starker Hitze etwas einkochen lassen. Die Petersilie fein hacken und unter die Pilzmischung geben. So viel Semmelbrösel hinzufügen, daß die Masse bindet, aber noch geschmeidig ist. Vom Herd nehmen und etwas abkühlen lassen.

☐ Die Filetscheiben trockentupfen und mit Salz und Pfeffer würzen. Das Öl in einer Pfanne erhitzen und das Fleisch bei starker Hitze von beiden Seiten jeweils 2 Minuten darin anbraten. Herausnehmen und abkühlen lassen.

☐ In einem Topf reichlich Salzwasser zum Kochen bringen. Die Mangoldblätter darin blanchieren, herausnehmen und in eiskaltem Wasser abschrecken. Auf ein Küchentuch legen, trockentupfen und jedes Blatt mit der abgekühlten Pilzfarce bestreichen. Jeweils 1 Filetstück darauflegen und das Fleisch fest mit dem Mangoldblatt umhüllen. Die Mangoldpäckchen in Alufolie packen, gut verschließen und im Salzwasser 8–10 Minuten pochieren.

Pro Portion: 345 kcal

___tip___

Dieses Gericht können Sie auch außerhalb der Pfifferlingsaison zubereiten. Anstelle der Pfifferlinge eignen sich auch andere aromatische Waldpilze oder Zuchtpilze für die Farce, z. B. Shiitake.

KALBSKOTELETTS MIT FRÜHLINGSZWIEBELN

(Foto oben)

Für 2 Personen

2 Kalbskoteletts (à 200 g)

1 Knoblauchzehe

½ TL abgezupfte

Thymianblätter

Salz

weißer Pfeffer aus der Mühle

1 Bund kleine Frühlingszwiebeln

1 EL Öl

1 EL Aceto Balsamico

0,1 l Weißwein

☐ Die Kalbskoteletts trockentupfen, mit der zerquetschten oder durchgepreßten Knoblauchzehe, den Thymianblättern und mit Salz und Pfeffer einreiben.

☐ Die Frühlingszwiebeln putzen, waschen und das Grün um ein Drittel kürzen.

☐ Das Öl in einer beschichteten Pfanne erhitzen und die Koteletts darin bei mittlerer Hitze von jeder Seite 2 Minuten anbraten. Das Fleisch herausnehmen und die Frühlingszwiebeln in dem Bratfett kurz anbraten. Mit Essig und Wein aufgießen, die Koteletts zurück in die Pfanne geben und zugedeckt in etwa 8–10 Minuten gar dünsten.

☐ Das Fleisch auf vorgewärmte Teller legen und die Zwiebeln darauf anrichten. Den Bratenfond, falls nötig, noch etwas einkochen lassen, dann über die Zwiebeln träufeln.

Pro Portion: 270 kcal

SEEZUNGEN AUF CHAMPIGNONS
(Foto unten)

Für 4 Personen
12 Seezungenfilets (je 50 g)
Saft von 1 Zitrone
300 g Champignons
5 Schalotten
75 g Butter
⅛ l trockener Weißwein
Pfeffer aus der Mühle
Salz
Honig nach Geschmack
2 EL Crème fraîche
2 EL Weizenmehl
1 Bund Dill
1 Bund Petersilie
1 Zitrone zum Garnieren

☐ Die Seezungenfilets kurz unter fließendem Wasser waschen, mit Küchenpapier trockentupfen und mit etwas Zitronensaft beträufeln.

☐ Die Champignons mit Küchenkrepp abreiben, eventuell kurz unter fließendem Wasser waschen und in sehr dünne Scheiben schneiden. Mit dem übrigen Zitronensaft beträufen. Die Schalotten schälen und fein hacken.

☐ 25 g Butter in einer Pfanne erhitzen, die Schalottenwürfel darin glasig braten, die Pilzscheiben zufügen und so lange garen, bis der austretende Saft eingekocht ist. Mit dem Wein aufgießen und diesen fast einkochen lassen. Mit Pfeffer, Salz und Honig abschmecken, die Crème fraîche einrühren. Heiß halten.

☐ Die Seezungenfilets abtropfen lassen, mit Salz und Pfeffer bestreuen und in Mehl wenden.

☐ Die Seezungenfilets in der restlichen Butter auf jeder Seite 2–3 Minuten braten.

☐ Dill und Petersilie waschen, die groben Stiele entfernen und die Kräuter trockenschwenken, je die Hälfte der Petersilie und des Dills fein hacken.

☐ Auf einer vorgewärmten Platte die Champignons in ihrer Sauce anrichten und mit gehackter Petersilie bestreuen. Die Seezungenfilets daraufbetten und mit geschnittenem Dill bestreuen. Die Platte mit Zitronenscheiben und den restlichen Kräutern garnieren.

Pro Portion: 390 kcal

MÖHREN-PILZ-RAGOUT MIT SCHOLLEN-RÖLLCHEN

Für 4 Personen
750 g Schollenfilets
Zitronensaft
Salz
Pfeffer aus der Mühle
½ Bund Frühlingszwiebeln
500 g Champignons
3 EL Butter
250 g Möhren
6 EL Crème fraîche
50 g Kerbel

☐ Die Filets mit Zitronensaft beträufeln, salzen und pfeffern.

☐ Die Frühlingszwiebeln putzen, abbrausen und die weißen Zwiebelchen abschneiden. Das Grüne in feine Ringe schneiden.

☐ Die Champignons mit Küchenkrepp abreiben und die Stiele entfernen, anderweitig für eine Suppe oder Sauce verwenden. Große Pilzköpfe halbieren oder vierteln, kleine ganz lassen. In einer großen Pfanne in heißer Butter 5 Minuten braten, dann die Zwiebelchen zufügen.

☐ Die Möhren putzen und in feine Scheiben schneiden. Mit dem Zwiebelgrün unter die Pilze mischen. Das Gemüse mit Salz und Pfeffer würzen und die Crème fraîche unterrühren. Weitere 10 Minuten dünsten.

☐ Den Kerbel abbrausen, von den Stielen befreien und bis auf ein Drittel auf den Schollenfilets verteilen.

☐ Die Fischfilets zu Röllchen formen, mit Zahnstochern feststecken und auf das Gemüse setzen. Zugedeckt in 10 Minuten gar ziehen lassen.

☐ Das Gemüse-Ragout mit den Schollenröllchen auf vier vorgewärmte Teller verteilen und mit dem restlichen Kerbel bestreuen.

Dazu paßt in Butter geschwenkter Reis.

Pro Portion: 420 kcal

GARNELEN MIT ZUCCHINI
(Foto oben)

Für 4 Personen
24 Riesengarnelen
250 g Zucchini
2 Knoblauchzehen
100 g Zwiebeln
je 1 Zweig Thymian und
Rosmarin
150 g Butter
Salz
Cayennepfeffer

☐ Die Garnelen waschen und schälen.

☐ Die Zucchini waschen, Blüten- und Stielansätze entfernen und in etwa 1 cm dikke Scheiben schneiden.

☐ Knoblauchzehen schälen, kleinhacken und mit der Messerbreitseite zerdrücken oder durch die Presse drükken. Die Zwiebeln schälen, Kräuter waschen und beides fein hacken.

☐ Den Backofen auf 200°C vorheizen.

☐ Crevetten und Zucchinischeiben auf ein gefettetes Backblech legen, Knoblauch, Kräuter, Zwiebeln und reichlich Butterflöckchen gleichmäßig darauf verteilen und mit Salz und Cayennepfeffer würzen. In den Backofen schieben und etwa 20 Minuten garen. Mit Weißbrot servieren.

Pro Portion: 540 kcal

SPARGELFRIKASSEE UND FISCHKLÖSSCHEN

Für 4 Personen
300 g reines Fischfleisch von
Hecht, Seezunge oder Lachs
Salz
Pfeffer aus der Mühle
500 g weißer Spargel
½ TL Zucker
40 g Butter
20 g Mehl
⅛ l Weißwein
ca. 300 g eiskalte Sahne
2 Eigelb
Saft und abgeriebene Schale
von ½ unbehandelten Zitrone
einige Zweige Dill

☐ Das Fischfleisch in Würfel schneiden und im Mixer fein pürieren. Mit Salz und frisch gemahlenem Pfeffer würzen und zugedeckt mindestens 30 Minuten in den Kühlschrank stellen.

☐ Die Spargelstangen schälen und in 3 cm lange Stücke schneiden. 1 l Wasser mit Salz, Zucker und 10 g Butter zum Kochen bringen und die Spargelstücke darin in 15–20 Minuten garen lassen. In ein Sieb schütten und gut abtropfen lassen. Das Spargelkochwasser auffangen.

☐ Für die Sauce die restliche Butter erhitzen, das Mehl dazugeben und leicht aufschäumen lassen. Unter ständigem Rühren mit ¼ l Spargelkochwasser und dem Weißwein aufgießen und die Sauce etwa 10 Minuten bei schwacher Hitze köcheln lassen, dabei gelegentlich umrühren.

☐ Während dieser Zeit das pürierte Fischfilet in eine Metallschüssel geben und diese auf eine Schüssel mit Eiswasser stellen. Mit Hilfe eines Handrührgerätes langsam ca. ¼ l gut gekühlte Sahne unter den Fisch rühren. Noch einmal herzhaft mit Salz und Pfeffer abschmecken. Mit zwei Teelöffeln kleine Nokkerl abstechen und in das siedende Spargelwasser geben. Bei leichter Hitze in 8–10 Minuten gar ziehen lassen, das Wasser darf nicht kochen.

☐ Restliche Sahne und Eigelb verquirlen und unter die Béchamelsauce mischen. Sofort von der Kochstelle nehmen, mit Zitronensaft und -schale abschmecken und die abgetropften Spargelstücke untermischen. Die Fischklößchen mit einem Schaumlöffel aus dem Wasser heben, gut abtropfen lassen und unter das Frikassee mischen.

Mit gehacktem Dill bestreuen und sofort servieren.
Pro Portion: 300 kcal

SARDINEN AUF SPINAT

Für 4 Personen
1 kg frische Sardinen
(ca. 16 Stück)
1 Tasse grobes Meersalz
1 kg kleinblättriger Spinat
1 TL Salz
5 EL Olivenöl

☐ Die Sardinen vorsichtig schuppen, auf der Bauchseite aufschneiden, ausnehmen, waschen und auf Küchenpapier trocknen lassen.

☐ Auf eine große Platte eine halbe Tasse Salz streuen, die Sardinen nebeneinander darauf legen und mit dem restlichen Salz bedecken. Im Kühlschrank eine Stunde marinieren lassen.

☐ Den Spinat waschen, gut abtropfen lassen und in eine Schüssel geben. Mit dem Salz gründlich vermischen.

☐ Den Backofen auf 220°C vorheizen.

☐ Die Sardinen aus dem Salz nehmen und noch anhängende Salzkörner abstreifen.

☐ 4 Bogen starke Alufolie mit etwas Öl bestreichen, dabei den Rand freilassen. Je ein Viertel des Spinats als dicke Schicht auf die Folien legen und darauf nebeneinander 4 Sardinen geben. Mit dem restlichen Öl beträufeln und die Folien fest verschließen.

☐ Die Folienpakete auf ein Backblech legen und die Sardinen auf der mittleren Schiene im Backofen 8 Minuten backen. Die Folienpakete öffnen und Sardinen und Spinat auf Tellern anrichten.

Dazu paßt Tomatensalat.
Pro Portion: 390 kcal

1. Die Sardinen nebeneinander auf eine mit Salz bestreute Platte legen.

2. Jeweils vier Sardinen auf ein mit Spinat ausgelegtes Stück Alufolie geben.

LACHSKOTELETTS AUF GEMÜSE

Für 4 Personen

FISCHSUD

500 g Fischabfälle (Köpfe, Schwänze, Gräten)

1 Zwiebel

1 kleine Petersilienwurzel

1 große Möhre

1 Stange Staudensellerie

½ unbehandelte Zitrone

1 Lorbeerblatt

1 Zweig Thymian

1 kleines Stückchen getrock-nete Pfefferschote

1 Msp. Safran

4–5 Pfefferkörner

½ l Wasser

¼ l Weißwein

Salz

AUSSERDEM

1 kleine Fenchelknolle

250 g Möhren

2 kleine Zucchini

4 Fischkoteletts vom See-hecht oder Lachs (à 250 g)

20 g eiskalte Butter

1 EL gehackte Petersilie

□ Für den Fischsud die Fischabfälle waschen und in einen großen Topf geben. Zwiebel schälen, Gemüse putzen, kleinschneiden und mit den Kräutern und Gewürzen hinzufügen. Mit Wasser und Wein aufgießen, salzen und zum Kochen bringen. Bei schwacher Hitze etwa 30 Minuten köcheln lassen.

□ In dieser Zeit den Fenchel putzen, halbieren und in hauchdünne Scheiben schneiden. Die Möhren schälen, die Zucchini waschen und beides erst der Länge nach in dünne Scheiben, dann in schmale Streifen schneiden. Die Fischkoteletts waschen und trockentupfen.

□ Den Fischsud durch ein Sieb gießen, ¼ Liter abmessen, zurück in den Kochtopf schütten und etwas einkochen lassen.

□ Zuerst die Fenchelscheiben in den Fischsud geben und 4–5 Minuten köcheln lassen, dann die Möhren hinzufügen und in weiteren 2–3 Minuten al dente kochen. Zum Schluß die Zucchini untermischen und die Fischkoteletts auf das Gemüse legen. Zugedeckt bei schwacher Hitze in etwa 6 Minuten gar dämpfen.

□ Den Fisch herausheben und warmstellen. Falls nötig, die Flüssigkeit noch etwas einkochen lassen. Dann die Butter in kleinen Flöckchen und die Petersilie unter das Gemüse mischen.

□ Das Gemüse auf eine vorgewärmte Platte geben und mit den Fischkoteletts belegen. Anstelle von Fenchel Staudensellerie verwenden.

Pro Portion: 480 kcal

UNGARISCHER FISCHTOPF
(Foto rechts)

Für 10 Personen

1¼ kg gemischte Fische (z. B. Karpfen, Zander, Wels u. a.)

3 l Gemüsebrühe

10 schwarze Pfefferkörner

500 g Zwiebeln

8 Knoblauchzehen

2 TL edelsüßes Paprikapulver

250 g gelbe Paprikaschoten

200 g Tomaten

1 Pfefferschote

☐ Die Fische waschen, ausnehmen und filetieren. Die Filets in etwa 50 g schwere Stücke teilen. Fischrogen und -milch beiseite legen. Fischköpfe, Fischgräten und -haut in der Gemüsebrühe mit den Pfefferkörnern zum Kochen bringen.

☐ Zwiebeln und Knoblauch schälen, in Scheiben schneiden und mit in den Topf geben. Das Paprikapulver einstreuen. Die Brühe 1 Stunde kochen lassen.

☐ Die Fischstücke in einen Topf schichten. Die Fischbrühe durch ein Tuch sieben und über den Fisch gießen. Zum Kochen bringen.

☐ Die Paprikaschoten waschen, halbieren, Kerne und Scheidewände entfernen, die Hälften in feine Streifen schneiden, mit Fischrogen und -milch zur Fischsuppe geben. 10 Minuten mitkochen lassen.

☐ Tomaten heiß überbrühen, abziehen, entkernen und in Stücke schneiden, Stengelansätze ausschneiden. Tomatenstücke zugeben und alles weitere 5 Minuten kochen lassen. Nicht umrühren, sondern den Topf hin und wieder schütteln, damit der Fisch nicht zerfällt.

☐ Die Pfefferschote waschen und in hauchdünne Scheibchen schneiden. Vor dem Servieren auf das Gericht streuen.

Pro Portion: 300 kcal

FISCH-MANGOLD-GRATIN

Für 4 Personen

2 Forellen (à ca. 400 g)

250 g Schalotten

2 EL Butter

Salz

Pfeffer aus der Mühle

einige Korianderkörner

8–10 Blätter Stielmangold

Fett für die Form

200 g englischer Cheddarkäse mit Salbei

☐ Forellen vom Fischhändler filetieren, entgräten und enthäuten lassen.

☐ Fein gehackte Schalotten im mittelheißen Fett andünsten. ⅛ l Salzwasser, Pfeffer und Koriander zugeben. Zugedeckt ca. 20 Minuten leise köcheln lassen.

☐ Stielmangold gründlich waschen. Die Stiele herausschneiden und anderweitig verwenden. Die Blätter kurz in siedendem Wasser überbrühen, kalt abschrecken und gut abtropfen lassen. Dann in Streifen schneiden, zu den Schalotten geben und zugedeckt zusammenfallen lassen.

☐ Gemüse in vier gefettete, feuerfeste Portionsformen verteilen. Fischfilets darauflegen, leicht würzen und mit dem in Scheiben geschnittenen Käse belegen. Gratins im Backofen bei 200 °C ca. 20 Minuten überbacken.

Pro Portion: 390 kcal

FISCHKOTELETTS PROVENZALISCH
(Foto unten)

Für 4 Personen

4 Scheiben Seelachs oder
Kabeljau (je 200 g)

Salz

Pfeffer aus der Mühle

Olivenöl

4 Tomaten

Provence-Kräuter (getrocknet)

300 g grüne Bohnen

1 Handvoll schwarze Oliven

☐ Die Fischkoteletts trockentupfen, mit Salz, Pfeffer und Öl einreiben. Die Tomaten waschen, halbieren und den grünen Stielansatz herausschneiden.

☐ Die Fischkoteletts und die Tomatenhälften mit der Schnittfläche nach oben in die Mitte einer großen feuerfesten Platte legen. Großzügig mit Olivenöl begießen und mit den Provence-Kräutern bestreuen. Im vorgeheizten Ofen bei 180°C etwa 20 Minuten garen.

☐ Die Bohnen waschen, entfädeln und in leicht gesalzenem Wasser bißfest garen.

☐ Die Oliven in ein großes Sieb geben und die Bohnen darüber abgießen.

☐ Bohnen und Oliven um den Fisch und die Tomaten anrichten, noch einmal im Ofen erhitzen und servieren.
Pro Portion: 270 kcal

TOMATENPFANNE MIT KRABBEN
(Foto oben)

Für 4 Personen

700 g Kartoffeln

500 g Tomaten

2 Zwiebeln

3 EL Sonnenblumenöl

2 EL Butter

Salz

Pfeffer aus der Mühle

1 TL getrockneter Majoran

150 g Nordseekrabbenfleisch

1 Beet Kresse

☐ Die Kartoffeln kochen, abgießen, pellen und auskühlen lassen. In gleichmäßig dünne Scheiben schneiden. Die Tomaten überbrühen, kalt abschrecken und häuten. In Achtel schneiden und die Stielansätze entfernen. Die Zwiebeln abziehen und in Ringe hobeln.

☐ Das Öl mit der Butter in einer Pfanne erhitzen. Die Kartoffeln von allen Seiten knusprig braten. Die Zwiebeln zufügen und Farbe nehmen lassen. Die Tomaten untermischen. Mit Salz, Pfeffer und Majoran würzen.

☐ Nach 5 Minuten die Krabben dazugeben und erhitzen. Mit der Kresse bestreuen.
Pro Portion: 300 kcal

FISCH MIT TOMATEN AUS DER FOLIE

Für 4 Personen
2 große oder 4 kleine Gold-
brassen
1 Zitrone
Salz
Pfeffer aus der Mühle
Paprikapulver edelsüß
40 g Butter
600 g Fleischtomaten
1 Gemüsezwiebel
je 1 Bund glatte Petersilie
und Dill
je 1 Zweig Zitronenmelisse
und frischer Thymian
2 EL Crème double
1 EL Kräutersenf

☐ Die Brassen vom Fisch-
händler schuppen und aus-
nehmen lassen. Innen und
außen mit Zitronensaft beträufeln, mit Salz, Pfeffer und
Paprika würzen. Zwei oder
vier genügend große Stücke
Pergament oder Folie mit der
Butter bestreichen und die
Fische darauf legen.

☐ Die Tomaten überbrühen,
kalt abschrecken, häuten.
Stielansätze herausschneiden, Tomaten in Scheiben
teilen. Die Zwiebel abziehen
und in feine Ringe hobeln.
Die Kräuter waschen, trok-
kenschwenken und sehr fein
hacken.

☐ Den Backofen auf 200 °C
vorheizen.

☐ Erst Zwiebelringe, dann
Tomatenscheiben auf den Fi-
schen anordnen. Mit Salz
und Pfeffer würzen. Die Kräuter darüber streuen und das
Pergament oder die Folie lok-
ker verschließen. Im Backofen 30–40 Minuten garen.

☐ Folie öffnen. Fond mit
Crème double und Senf
leicht binden.

Pro Portion: 360 kcal

STEINBUTT MIT AUSTERNPILZEN

(Foto rechts)

Für 4 Personen
4 Steinbuttfilets (je etwa 200 g)
Saft von 1 Limette
400 g Austernpilze
2 Knoblauchzehen
2 EL Distelöl
1 Prise Kümmel
Pfeffer aus der Mühle
Salz
Olivenöl zum Bepinseln
ESTRAGONBUTTER
1 Bund Estragon
1 EL Cognac
Salz
40 g Butter

☐ Den Estragon waschen, trockenschwenken und fein hacken. Mit Cognac und Salz unter die Butter geben. Die Butter zu einer Rolle formen, in Alufolie einpacken und bis zum Servieren kalt stellen.

☐ Den Fisch kurz waschen, trockentupfen und mit Limettensaft beträufeln. 10 Minuten ziehen lassen.

☐ Die Austernpilze putzen, Stiele abschneiden und anderweitig verwenden. Die Hüte unter fließendem Wasser waschen oder mit Küchenpapier abwischen. Knoblauchzehen schälen.

☐ Das Öl in einer Pfanne erhitzen, die Pilzhüte darin auf beiden Seiten in 8–10 Minuten braun braten. Die Knoblauchzehen durch die Presse drücken, den Saft auf die Pilzhüte träufeln. Mit Kümmel, Pfeffer und Salz würzen.

☐ Den Grill vorheizen.

☐ Die Steinbuttfilets abtupfen und auf beiden Seiten mit Olivenöl bepinseln. Auf den mit Öl bestrichenen Grillrost legen und unter dem Grill auf jeder Seite 5 Minuten grillen. Mit reichlich Pfeffer übermahlen und mit Salz würzen.

☐ Die Fischfilets auf Tellern anrichten, die Pilzhüte danebenlegen. Die Estragonbutter dazureichen.

Pro Portion: 340 kcal

SEETEUFEL MIT MÖHREN UND SAFRAN

Für 4 Personen
750 g Seeteufel, in Medaillons geschnitten
Zitronensaft
Salz
500 g Möhren
1 Zwiebel
2 EL Butter
1 Msp. Safran, gemahlen
1 Prise Muskat, frischgemahlen
Pfeffer aus der Mühle
⅛ l trockener Weißwein
3 EL Crème double
1 Handvoll Kerbel

☐ Die Seeteufelmedaillons kalt abspülen, trockentupfen, mit Zitronensaft beträufeln und leicht salzen.

☐ Die Möhren schälen und in streichholzgroße Stifte schneiden. Die Zwiebel schälen und fein hacken.

☐ Die Butter in einer Pfanne erhitzen und die Möhrenstifte mit den Zwiebelwürfeln 5 Minuten dünsten. Mit Salz, Safran, Muskat und Pfeffer würzen. Den Weißwein über das Gemüse gießen und die Crème double unterrühren.

☐ Die Seeteufelmedaillons auf das Gemüse setzen. Die Pfanne schließen und den Fisch 12 Minuten garen.

☐ Das Gemüse abschmecken und falls nötig, nachwürzen. Den Kerbel abbrausen, kleinschneiden und über den Fisch streuen.

Dazu paßt Naturreis oder Pellkartoffeln.

Pro Portion: 335 kcal

MUSCHELN IM SELLERIE-KRÄUTER-SUD

Für 2 Personen

1 kg Miesmuscheln

1 Staudensellerie

2 Fleischtomaten

2 Knoblauchzehen

2 EL Olivenöl

Salz

Pfeffer aus der Mühle

⅛ l Weißwein

1 Bund gemischte Kräuter
(z. B. Petersilie, Kerbel, Basilikum, Dill)

☐ Die Muscheln sorgfältig unter fließendem Wasser mit einer Bürste reinigen, dabei die »Bärte« entfernen und die geöffneten Muscheln wegwerfen.

☐ Die Selleriestaude auseinanderlösen und welke Stellen entfernen. Das Gemüse waschen und die Stangen in schmale Streifen schneiden.

☐ Die Tomaten blanchieren, häuten und ohne Stengelansätze und Kerne in kleine Würfel schneiden. Knoblauchzehen schälen und fein hacken.

☐ Das Öl in einem großen, flachen Schmortopf erhitzen und den Knoblauch darin anbraten. Die Selleriestreifen dazugeben und mit anschwitzen. Mit Salz und Pfeffer würzen, mit Wein aufgießen und das Gemüse zugedeckt al dente schmoren.

☐ Tomaten und Muscheln dazugeben und zugedeckt so lange bei mittlerer Hitze kochen lassen, bis sich die Muscheln öffnen.

☐ Die Kräuter waschen, trockentupfen und fein hakken. Kurz vor dem Servieren unter die Muscheln mischen und sofort servieren. Geschlossene Muscheln wegwerfen!
Als Beilage knuspriges Weißbrot reichen.
Pro Portion: 215 kcal

TINTENFISCH-SPINAT-RAGOUT
(Foto oben)

Für 6 Personen

500 g küchenfertige Tintenfische

500 g Spinat oder Mangold

1 kleine Zwiebel

1 Knoblauchzehe

2 Stangen Bleichsellerie

3–4 EL gehackte Petersilie

1 getrocknete Chilischote

1 EL Olivenöl

2 Fleischtomaten

Pfeffer aus der Mühle

Salz

Petersilienblättchen zum Garnieren

☐ Tintenfische in Ringe schneiden. Spinat oder Mangold verlesen, grobe Stiele entfernen, gründlich waschen und trockenschleudern. Dann grob schneiden.

☐ Fein gehackte Zwiebel, durchgepreßten Knoblauch, fein geschnittenen Bleichsellerie, gehackte Petersilie und zerkrümelte Chilischote im mittelheißen Öl glasig dünsten. Spinat oder Mangold zufügen und zusammenfallen lassen. Vorbereiteten Tintenfisch zugeben und alles zugedeckt weitere 10 Minuten leise köcheln lassen.

☐ Tomaten kurz in siedendem Wasser überbrühen, kalt abschrecken, häuten, halbieren und entkernen. Das Fruchtfleisch würfeln und zum Tintenfisch geben. Das Ragout nun ohne Deckel weitere 20 Minuten bei geringer Hitze köcheln lassen. Mit Salz und Pfeffer abschmekken und mit Petersilienblättchen garnieren.
Pro Portion: 125 kcal

SEEZUNGENRÖLLCHEN MIT GEMÜSEFÜLLUNG

Für 4 Personen

FISCHRÖLLCHEN

4–6 Seezungenfilets

feines Meersalz

Pfeffer aus der Mühle

FÜLLUNG

300 g Spinat oder Blattmangold

200 g Champignons

1 EL Zitronensaft

2 Schalotten

1 EL Butter

Salz

Pfeffer aus der Mühle

frischgeriebene Muskatnuß

1 Eigelb

SAUCE

1 Schalotte

2 EL feingeriebener frischer Ingwer

3 EL Butter

2 EL Weißweinessig

⅛ l trockener Weißwein

2 EL Crème double

Salz

Pfeffer aus der Mühle

☐ Seezungenfilets abspülen und trockentupfen. Zugedeckt beiseite stellen.

☐ Für die Füllung Spinat oder Mangold verlesen, grobe Stiele entfernen und gründlich waschen. Dann in einem Sieb gut abtropfen lassen. Geputzte Champignons blättrig schneiden und sofort mit Zitronensaft beträufeln.

☐ Feingehackte Schalotten im mittelheißen Fett glasig dünsten. Champignons zufügen und 3–4 Minuten mitdünsten. Spinat oder Mangold zugeben und mitdünsten, bis alle Flüssigkeit verdampft ist. Mit Salz, Pfeffer und Muskat abschmecken. Eigelb unter die abgekühlte Masse mischen.

☐ Fischfilets auf beiden Seiten salzen und pfeffern und auf einer Arbeitsfläche auslegen. Gemüsefüllung in die Mitte geben und die Fischfilets locker aufrollen. Die Röllchen im Dampftopf auf dem

Gittereinsatz ca. 10 Minuten zugedeckt garen.

☐ Für die Sauce feingehackte Schalotte und Ingwer mit 1 Eßlöffel Fett andünsten. Essig und Wein dazugießen und die Flüssigkeit zur Hälfte einkochen lassen. Den Sud durchsieben und erneut zum Kochen bringen. Mit restlicher Butter und Crème double verfeinern, salzen und pfeffern. Die Fischröllchen auf der Sauce anrichten.
Pro Portion: 300 kcal

Die Ingwerwurzel mit einem Messer oder einem Sparschäler schälen.

Gemüse-
suppen

Feine, leichte Suppen sind wieder »in«. Sie lassen sich schnell zubereiten, verwöhnen und schmeicheln dem Gaumen und Magen. Und außerdem gibt es kaum ein Gemüse, aus dem sich nicht eine leckere Suppe zubereiten ließe. Suppenliebhaber finden natürlich in diesem Kapitel die Tomaten- oder Pilzsuppe, die Erbsensuppe und die beliebte Zwiebelsuppe. Neugierig machen aber sicher auch Rezepte wie Zucchini-Knoblauch-Suppe oder Kürbiscremesuppe.

TOMATENCREME-SUPPE
(Foto links)

Für 4 Personen
1 kg reife, saftige Tomaten
1 kleine Zwiebel
½ l Fleischbrühe (aus Extras)
Salz
1 TL Zucker
1 Knoblauchzehe
1 Nelke
1 kleiner Zweig Rosmarin
125 g Crème double
einige Basilikumblätter
schwarzer Pfeffer aus
der Mühle
AUSSERDEM
1 Brötchen vom Vortag
30 g Butter
frischgeriebener Parmesan
zum Bestreuen

1. Die Tomaten waschen und in Stücke schneiden. Die Zwiebel schälen und grob würfeln. Die Tomaten in einen Topf geben, mit der Fleischbrühe bedecken und Salz, Zucker, Zwiebel, geschälte Knoblauchzehe, Nelke und Rosmarin hinzufügen. Kochen lassen, bis die Tomaten ganz weich sind. Durch ein Sieb passieren, wieder in den Topf geben und 3 Minuten kochen lassen.
2. Die Crème double und etwas Tomatensuppe mit dem Schneebesen verrühren und an die Suppe geben. Unter Rühren aufkochen lassen und mit dem streifig geschnittenen Basilikum vermischen.
3. Das Brötchen in Würfeln schneiden. Die Butter in einer Pfanne erhitzen und die Brotwürfel darin goldgelb braten.
4. Die Suppe mit etwas Pfeffer und Salz abschmecken. Auf Teller füllen und die Brotwürfel hineingeben. Den geriebenen Käse getrennt reichen.
Pro Portion: 260 kcal

1. Die gewürzte Tomatenbrühe mit einem Holzlöffel durch ein Haarsieb streichen.

3. Die Brötchenwürfel unter ständigem Wenden in der Butter goldgelb braten.

BLUMENKOHLSUPPE MIT KRABBEN

Für 4 Personen
½ kg Kalbsknochen
¾ l Wasser
Salz
3–4 Eier
1 mittelgroßer Blumenkohl
200 g Crème fraîche
Pfeffer aus der Mühle
1 Msp. Cayennepfeffer
1 TL Zitronensaft
125–150 g Krabben
2 EL gehackte Petersilie
½ Bund Schnittlauch

☐ Kalbsknochen mit heißem Wasser gut abspülen. Wasser mit Salz aufkochen und die Knochen darin ca. 30 Minuten zugedeckt auskochen.
☐ Eier in 9–12 Minuten hartkochen. Kalt abschrekken, pellen und fein hacken.
☐ Blumenkohl putzen, waschen und in kleine Röschen teilen.
☐ Fleischbrühe durch ein feines Sieb gießen, in den Topf zurückgeben und aufkochen. Blumenkohl zufügen und darin knapp weich garen. Die Hälfte der Blu-

2. Die Crème double in die Tomatensuppe geben und verrühren.

4. Den Parmesankäse erst kurz vor dem Verbrauch auf einer Käsereibe reiben.

menkohlröschen mit einer Schaumkelle herausnehmen. Mit Crème fraîche im Mixer pürieren. Unter kräftigem Rühren in die Brühe zurückgeben.
☐ Die Blumenkohlsuppe mit Salz, Pfeffer, Cayennepfeffer und Zitronensaft abschmecken. Ausgelöste Krabben und gehackte Eier zufügen und bei kleiner Hitze kurz erwärmen. Suppe vor dem Servieren mit gehackter Petersilie und Schnittlauchröllchen bestreuen.
Pro Portion: 330 kcal

────*tip*────

So geht's schneller: Suppe mit fertiger Fleischbrühe (Würfel oder Instant) zubereiten. Statt Blumenkohl können Sie Romanesco oder Broccoli verwenden.

PILZSUPPE MIT KÄSECROÛTONS

Für 4 Personen
300 g Egerlinge
3 Schalotten
30 g Butter
1 EL Dinkel- oder Weizenmehl
1 l Gemüsebrühe
Salz
abgeriebene Muskatnuß
einige Spritzer Limettensaft
125 g Sahne
1 Bund Kerbel
einige Blättchen Pimpernelle
KÄSECROÛTONS
2 Scheiben Vollkorntoast
20 g Butter
30 g frischgeriebener
Parmesan

☐ Die (Egerlinge putzen, kurz unter fließendem Wasser waschen oder mit Küchenpapier sauber abwischen und in kleine Stücke schneiden. Die Schalotten schälen und fein hacken.
☐ Die Butter in einem Topf erhitzen und die Schalotten darin glasig werden lassen. Die Pilze zugeben und mitbraten, bis alle Flüssigkeit eingekocht ist. Das Mehl darüberstreuen und leicht anbräunen. Die Gemüsebrühe angießen, umrühren und die Suppe 6–8 Minuten kochen lassen. Mit Salz, Muskat und Limettensaft abschmecken, dann die Sahne einrühren.
☐ Den Kerbel und die Pimpernelleblättchen waschen, trockenschwenken und fein hacken.
☐ Für die Croûtons Toastbrotscheiben in kleine Würfel schneiden und in der erhitzten Butter goldbraun werden lassen. Den Käse untermischen.
☐ Die Suppe auf Tellern anrichten und mit den gehackten Kräutern sowie den Käsecroûtons bestreuen.
Pro Portion: 300 kcal

KÜRBIS-CREME-SUPPE MIT REIS

Für 6–8 Personen
700 g Kürbis
2 Zwiebeln
1 Porreestange
2 Möhren
½ Bund glatte Petersilie
3 EL Butter
100 g italienischer Rund-kornreis
gut ⅛ l trockener Weißwein
ca. 1¼ l Geflügelbrühe
250 g Sahne
Salz
Pfeffer aus der Mühle
1 Bund Schnittlauch

☐ Kürbis schälen und ent-kernen. Kerne unter fließen-dem Wasser gründlich spü-len und trocknen lassen. Kür-bisfleisch in Würfel schnei-den. Zwiebeln und Porree in Ringe, Möhren in Scheiben schneiden. Petersilie fein hacken.

☐ Zwiebeln, Porree (nur das Weiße), Möhren und Petersi-lie in 2 Eßlöffeln mittelheißer Butter glasig dünsten. Kürbis und Reis zufügen und kurz mitdünsten. Mit Weißwein ablöschen und aufkochen. Dann heiße Brühe dazugie-ßen. Kürbissuppe zugedeckt ca. 45 Minuten auf kleiner Hitze köcheln. Nun durch ein Sieb streichen und in den Topf zurückgeben. Sahne dazugießen, salzen und pfef-fern. Kürbissuppe auf kleiner Hitze sämig einkochen las-sen.

☐ Kürbiskerne und das Por-reegrün in der restlichen mit-telheißen Butter unter Wen-den leicht rösten. Vor dem Servieren zusammen mit den Schnittlauchröllchen über die Suppe streuen.
Pro Portion: 230 kcal

KRESSESUPPE
(Foto oben)

Für 4 Personen
1 Bund Brunnenkresse
1 Stange Porree
3 EL Butter
3 Kartoffeln
1 l Geflügelfond oder Hühner-brühe
2 Scheiben Toastbrot
Pfeffer aus der Mühle
Salz
150 g Crème fraîche

☐ Die Brunnenkresse wa-schen, Blätter und Stengel getrennt hacken. Vom Por-ree nur die weißen Teile put-zen, waschen und in Ringe schneiden.

☐ 1½ Eßlöffel Butter in einer Kasserolle schmelzen und die gehackten Kressestengel mit den Porreeringen darin sanft dünsten.

☐ Die Kartoffeln schälen und klein würfeln. In die Kas-serolle geben, Fond oder Brühe angießen und zuge-deckt eine gute halbe Stunde köcheln lassen. Dabei gele-gentlich umrühren.

☐ Die gehackten Kresse-blätter in 1 Eßlöffel heißer Butter leise schmoren.

☐ Die Brotscheiben entrin-den, in Würfel schneiden und mit der restlichen Butter in einem Pfännchen knusprig braten.

☐ Die Suppe durch ein fei-nes Sieb streichen oder im Mixer pürieren und mit Pfeffer und Salz abschmecken. Er-neut erwärmen, die ge-schmorten Kresseblätter ein-ziehen und mit der Crème fraîche kurz aufkochen.

☐ Auf Suppentassen oder -teller verteilen, mit den hei-ßen Croûtons bestreuen und sofort servieren.
Pro Portion: 320 kcal

ERBSENSUPPE MIT SHIITAKE

Für 4 Personen

250 g ausgepalte Erbsen

1 Tasse Wasser

1 l Gemüsebrühe

200 g Shiitakepilze

20 g Butter

1 EL Grünkernmehl

1 EL feingemahlene Mandeln

1 EL Currypulver

Salz

125 g Sahne

10 Minzeblättchen

☐ Die ausgepalten Erbsen mit dem Wasser zum Kochen bringen. 5 Minuten kochen. Die Gemüsebrühe dazugießen und weitere 15 Minuten kochen lassen. Die Suppe durch ein Sieb streichen oder im Mixer pürieren.

☐ Die Shiitakepilze putzen, kurz unter fließendem Wasser waschen oder mit Küchenpapier sorgfältig abwischen. In feine Streifen schneiden.

☐ Die Butter in einem Topf erhitzen, die Pilzstreifen darin unter Rühren 5 Minuten von allen Seiten braten. Grünkernmehl, die Mandeln und das Currypulver zugeben, leicht anrösten und die Erbsensuppe angießen.

☐ Die Suppe zum Kochen bringen, nach Geschmack mit Salz würzen. 5 Minuten kochen lassen. Die Sahne einrühren. Die Minzeblättchen waschen, in Streifchen schneiden und über die Suppe streuen.

Pro Portion: 260 kcal

GEMÜSESUPPE MIT POLENTANOCKEN

(Foto unten)

Für 4 Personen

3 Knoblauchzehen

100 g Möhren

50 g Knollensellerie

100 g grüne Bohnen

100 g Broccoliröschen

20 g Butter

1¼ l Gemüsebrühe

NOCKEN

25 g Butter

1 kleines Ei

30 g Weizenmehl

30 g feiner Maisgrieß

Salz

1 TL Thymianblättchen

☐ Die Knoblauchzehen schälen und fein hacken. Möhren und Sellerie schälen und in dünne Stifte schneiden. Von den Bohnen die Enden abschneiden und wenn nötig Fäden abziehen. Die Bohnen in Stücke schneiden. Alle Gemüse in der Butter kurz andünsten und die Gemüsebrühe aufgießen. 15 Minuten kochen lassen.

☐ Für die Nocken weiche Butter und Ei mit einer Gabel vermischen. Mehl, Maisgrieß und Salz zugeben, zu einem nicht zu weichen Teig verarbeiten. Die Thymianblättchen in den Teig mischen. Teig 10 Minuten quellen lassen.

☐ Sobald die Gemüse gar sind, von dem Teig mit einem Teelöffel kleine Nocken abstechen und in die kochende Suppe geben. 10 Minuten ziehen, aber nicht mehr kochen lassen.

Pro Portion: 280 kcal

SPARGELCREMESUPPE
(Foto unten)

Für 4 Personen
500 g Bruchspargel
1 l Wasser
½ TL Zucker
50 g Butter
30 g Mehl
125 g Sahne
1 Eigelb
Pfeffer aus der Mühle
Salz
Saft und Schale von ½ unbehandelten Zitrone
1 Bund Schnittlauch

☐ Spargel schälen, die Stangen in Stücke schneiden.

☐ Das Wasser mit Salz, Zucker und Spargelabfällen zum Kochen bringen. 15 Minuten bei schwacher Hitze kochen.

☐ Durch ein Sieb gießen und die Spargelstückchen in der Brühe in 15−20 Minuten garen.

☐ Aus Butter und Mehl eine helle Mehlschwitze zubereiten, mit der Spargelbrühe aufgießen und 15 Minuten kochen lassen. Sahne und Eigelb miteinander verquirlen und die Suppe legieren. Erhitzen, aber nicht mehr kochen lassen.

☐ Die Spargelstückchen in die Suppe geben, mit Salz, frischgemahlenem Pfeffer, Zitronensaft und -schale abschmecken. Mit Schnittlauchröllchen bestreuen.

Pro Portion: 320 kcal

KALTE GURKEN-KNOBLAUCH-SUPPE
(Foto oben)

Für 4 Personen
5 Knoblauchzehen
Salz
5 Schalotten
0,2 l trockener Weißwein
½ l Milch
250 g Rahmjoghurt
500 g kleine Gurken
Schale und Saft von ½ Zitrone
Pfeffer aus der Mühle
1 TL Ahornsirup
2 EL feingeschnittener Dill

☐ Knoblauchzehen schälen und mit Salz im Mörser zerstoßen. Die Schalotten schälen, reiben und unter die Knoblauchpaste mischen.

☐ Weißwein, Milch und Joghurt in einem Topf aufschlagen, die Knoblauch-Schalotten-Paste unterrühren.

☐ Die Gurken waschen, eine davon in dünne Scheiben hobeln, die übrigen raspeln. Gurkenraspel in die Suppe rühren. Zitronenschale und -saft zugeben, mit Pfeffer, Salz, Ahornsirup würzen.

☐ Die Suppe anrichten, die Gurkenscheiben darauflegen, mit Dill bestreuen.

Pro Portion: 230 kcal

ZWIEBELSUPPE
(Foto rechts)

Für 4 Personen
1,5 l Gemüsebrühe
1 kg reife Tomaten
1 kg Zwiebeln
2–3 Knoblauchzehen
1–2 EL Sonnenblumenöl
0,1 l trockener Weißwein
½ Bund frisches Basilikum
½ Bund frischer Majoran
Salz
Pfeffer aus der Mühle

□ Die Gemüsebrühe erhitzen. Die Tomaten am Stielansatz kreuzweise einschneiden, kurz in heißes Wasser tauchen, enthäuten und die Stielansätze entfernen. In die Gemüsebrühe geben und etwa 5–10 Minuten garen.

□ Die Tomaten aus der Brühe nehmen, durch ein Sieb passieren, wieder in die Brühe geben und gut umrühren.

□ Die Zwiebeln schälen, halbieren und in Scheiben schneiden. Knoblauchzehen schälen und kleinhacken.

□ Das Öl in einen Topf geben und erhitzen. Zwiebeln und Knoblauch darin andünsten und mit dem Wein ablöschen. Alles in die Tomatensuppe geben und gut verrühren.

□ Basilikum und Majoran waschen, grob hacken und in die Suppe geben. Einige Basilikumblättchen zum Garnieren beiseite legen. Mit Salz und Pfeffer würzen und zugedeckt etwa 10 Minuten köcheln lassen.

□ Die Suppe vor dem Servieren mit Basilikumblättchen garnieren.
Pro Portion: 185 kcal

BROCCOLI-PILZ-SUPPE
(Foto links unten)

Für 4 Personen
200 g Champignons oder Egerlinge
300 g Broccoli
1¼ l Wasser
1 Zwiebel
1 Knoblauchzehe
2 EL Öl
1 Gemüsebrühwürfel
Salz
Pfeffer aus der Mühle
abgeriebene Muskatnuß
3 EL saure Sahne

□ Die Champignons putzen, kurz unter fließendem Wasser waschen oder mit Küchenpapier sorgfältig abwischen. In feine Scheibchen schneiden.

□ Den Broccoli putzen und waschen und im siedenden Wasser etwa 10 Minuten garen. Mit einem Schaumlöffel herausnehmen und die Röschen vom Strunk schneiden. Das Kochwasser nicht wegschütten. Die Zwiebel und die Knoblauchzehe schälen und fein hacken.

□ Das Öl in einem Topf erhitzen, die Zwiebel darin glasig werden lassen. Dann Knoblauch und Champignonscheiben zugeben und 7–8 Minuten braten. Das Gemüsekochwasser nach und nach angießen und zum Kochen bringen. Den Brühwürfel in der Suppe auflösen und diese mit Salz, Pfeffer und Muskat würzen.

□ Die Broccoli-Stengel im Mixer pürieren oder durchpassieren und in die Suppe rühren. Die saure Sahne dazugeben und zum Schluß die Broccoli-Röschen einlegen. Mit Vollkorntoast servieren.
Pro Portion: 115 kcal

SPINATCREME MIT RÄUCHERAAL
(Foto links)

Für 4 Personen
500 g Spinat
Salz
1 mittelgroßer Räucheraal
1 EL Butter
1 Kräutersträußchen beste-
hend aus: Petersilie, Thymian,
Lorbeerblatt und 1 Stück un-
behandelter Zitronenschale
¼ l trockener Weißwein
¾ l Wasser
2 Eigelb
4 EL Sahne
Salz
Pfeffer aus der Mühle
frischer Thymian und Zitro-
nenscheiben zum Garnieren

☐ Spinat verlesen, grobe Stiele entfernen und gründlich waschen. Dann kurz in siedendem Salzwasser überbrühen, kalt abschrecken, gut abtropfen lassen und anschließend fein hacken.

☐ Aal enthäuten, die Filets von den Gräten lösen und in Streifen schneiden. Aalabschnitte (Haut und Gräten) im mittelheißen Fett anbraten. Das Kräutersträußchen zugeben. Alles mit Wein ablöschen und etwas einkochen lassen. Dann Wasser dazugießen und den Fischsud zugedeckt ca. 30 Minuten köcheln lassen.

☐ Fischsud durchsieben, in den Topf zurückgießen und aufkochen. Spinat zufügen und die Suppe 10 Minuten leise köcheln lassen.

☐ Eigelb mit Sahne und einigen Eßlöffeln heißer Suppe vermischen, dann unter Rühren zur Suppe gießen. Mit Salz und Pfeffer abschmekken. Aal zugeben und nur noch kurz heiß werden lassen. Mit Thymianblättchen und Zitronenscheiben garnieren.

Pro Portion: 330 kcal

MÖHRENSUPPE MIT KRABBEN

Für 4 Personen
3 Schalotten
2 EL Butter
500 g Möhren
¼ l Fischfond (aus dem Glas)
⅛ l trockener Weißwein
5 EL Mascarpone
Salz
Pfeffer aus der Mühle
1 Msp. Cayennepfeffer
Zitronensaft
150 g geschälte Nordsee-
krabben
2 Bund Dill

☐ Die Schalotten schälen, fein hacken und in heißer Butter weich dünsten.

☐ Die Möhren schälen, waschen und in dünne Scheiben schneiden. Zufügen, andünsten, mit dem Fischfond aufgießen und 30 Minuten köcheln lassen.

☐ Das Ganze pürieren, in einen Topf geben, Weißwein zugießen und Mascarpone mit dem Schneebesen unterschlagen. 5 Minuten weiter köcheln. Mit Salz, Pfeffer, Cayenne und Zitronensaft abschmecken.

☐ Die Nordseekrabben untermischen und nur kurz in der Suppe erwärmen.

☐ Den Dill abbrausen, von den Stengeln zupfen, mittelfein hacken und bis auf ein Drittel untermischen.

☐ Die Suppe in Teller oder Tassen füllen, mit dem restlichen Dill bestreuen und servieren.

Pro Portion: 280 kcal

ZUCCHINI-KNOBLAUCH-SUPPE
(Foto rechts)

Für 4 Personen
500 g kleine Zucchini
Salz
8 Knoblauchzehen
1 Thymianzweig
1 kleines Lorbeerblatt
Pfeffer aus der Mühle
4 Eigelb
1 EL Zitronensaft
4 EL Olivenöl
4 EL Crème fraîche
4 Scheiben Weißbrot

□ Die Zucchini waschen und abtrocknen. Blütenansätze und die Enden entfernen und die Zucchini in nicht zu kleine Würfel schneiden.

□ Die Zucchini in genügend Salzwasser bißfest blanchieren, danach im Sieb abtropfen lassen.

□ Die 8 Knoblauchzehen schälen und zusammen mit dem Thymian, dem Lorbeerblatt, etwas Salz und Pfeffer in 1 Liter Wasser so lange kochen, bis die Knoblauchzehen weich sind (ca. 30 Minuten).

□ In der Zwischenzeit die Eigelb mit einer Prise Salz und etwas Pfeffer in eine Schüssel geben. Unter ständigem Rühren nach und nach den Zitronensaft und das Olivenöl hinzugeben. Die Zutaten so lange kräftig rühren, bis eine cremige Masse entstanden ist.

□ Nun den Thymian und das Lorbeerblatt aus dem Wasser nehmen, die Knoblauchzehen im Kochsud zerdrücken und gleichmäßig verrühren. Die Zucchinischeiben hinzugeben.

□ Die Eigelbmasse in eine vorgewärmte Suppenschüssel geben, die Suppe darübergießen und die Crème fraîche unterziehen.

□ Die Suppe mit gerösteten Weißbrotscheiben und Thymianzweiglein servieren.
Pro Portion: 360 kcal

LACHS-ZUCCHINI-SUPPE

Für 4 Personen
4–6 mittelgroße Zucchini
2 EL Butter
½ l Gemüsebrühe
Salz
weißer Pfeffer
1 EL Zitronensaft
200 g Sahne
1–2 EL Crème fraîche
2–3 Stengel Dill
4 dünne Scheiben roher Lachs
(ca. 150 g)

□ Die Zucchini schälen, dabei Blüten- und Stielansätze entfernen, die Zucchini der Länge nach halbieren und die Zucchinihälften in Würfel schneiden.

□ Butter in einem Topf erhitzen und die Zucchiniwürfel darin andämpfen. Die Gemüsebrühe aufgießen, mit Salz, weißem Pfeffer und einem Schuß Zitronensaft abschmecken. Sahne und Crème fraîche unterrühren, kurz aufkochen lassen und die Suppe pürieren.

□ Den Dill waschen, grobe Stiele entfernen und den Dill trockenschwenken.

□ Den rohen Lachs auf vier Suppenteller verteilen, die pürierte Suppe darübergießen und mit Dill garnieren. Sofort servieren.
Pro Portion: 360 kcal

MINESTRONE

Für 4 Personen

150 g weiße oder rote
Trockenbohnen

100 g durchwachsener
Räucherspeck oder frischer
Bauchspeck

2 Stengel Staudensellerie

2 Möhren

2 kleine Zucchini

3 mehligkochende Kartoffeln

1 mittelgroße Zwiebel

250 g Tomaten

5 Stengel Petersilie

1 Knoblauchzehe

¼ Kopf Wirsingkohl

einige Blättchen Basilikum
und Salbei

100 g kleine, zarte
Brechbohnen

300 g frische, junge Erbsen
oder 1 Fenchelknolle

4 EL Olivenöl

150 g Spaghetti, Hörnchen-
nudeln oder Reis

Salz

frischgeriebener Parmesan
zum Bestreuen

☐ Die Trockenbohnen am Vortag in kaltem Wasser einweichen und am nächsten Tag mit Wasser bedeckt gar kochen. Dann abgießen.

☐ Den Speck in Würfel, geschälten Sellerie und Möhren in Streifen schneiden. Zucchini, geschälte Kartoffeln und Zwiebel ebenfalls in Würfel schneiden. Die Tomaten überbrühen, häuten und in Stücke schneiden, dabei das harte gelbe Mark zurücklassen. Petersilie und geschälte Knoblauchzehe fein hacken. Wirsingkohl und große Basilikumblätter und Salbei in Streifen schneiden. Die Brechbohnen putzen, ein- bis zweimal brechen, Erbsen enthülsen oder Fenchel in feine Streifen schneiden.

☐ Das Olivenöl in einem hohen Topf mit Speckwürfeln, Zwiebeln, Knoblauch und Petersilie erhitzen. Basilikum und Salbei hinzufügen und 5 Minuten rösten lassen. Das Gemüse, ohne Tomaten,

Brechbohnen und Erbsen, in das Öl geben, mit 2½ l Wasser aufgießen und salzen. Die gekochten Bohnen hinzufügen und zugedeckt 1½ Stunden kochen lassen. Tomatenstücke und Brechbohnen hinzufügen und eine weitere halbe Stunde kochen lassen. Dann Nudeln oder Reis sowie die jungen Erbsen an die Suppe geben. Nach weiteren 20 Minuten Kochzeit die

Suppe mit Salz abschmekken. In Suppentellern servieren und mit geriebenem Parmesan bestreuen.
Pro Portion: 665 kcal

Möhren, Bohnen, Tomaten, Zucchini, Staudensellerie und Knoblauch sind wichtige Zutaten für die Minestrone.

GAZPACHO

Für 4 Personen

500 g Tomaten

1 große Salatgurke

1 grüne Paprikaschote

2 Knoblauchzehen

einige Kümmelkörner

1 große Zwiebel

3 Scheiben Weißbrot (vom Vortag) oder Toastbrot

1 EL Rotweinessig

3 EL Olivenöl

Salz

☐ Zwei feste Tomaten beiseite legen. Den Rest der Tomaten überbrühen, häuten und in Stücke schneiden. Die Hälfte der Salatgurke schälen und in Stücke schneiden. Die Hälfte der Paprika ebenfalls in Stückchen schneiden, die Knoblauchzehen schälen. Die Zwiebel schälen und eine Hälfte grob hacken. Zwei Brotscheiben in dem Essig mit etwas Wasser einweichen.

☐ Die Tomaten-, Gurken- und Paprikastückchen mit Knoblauchzehen und Zwiebel sowie dem Olivenöl mit dem Stabmixer pürieren, dann das eingeweichte Weißbrot und ¼ l Wasser langsam hinzufügen. Der Gazpacho soll cremig wie eine dünne Mayonnaise sein. Mit Salz abschmecken und mindestens 1–2 Stunden in den Kühlschrank stellen.

☐ Die restlichen Tomaten, die Gurken-, Paprika- und Zwiebelhälften sowie das verbliebene Weißbrot in Würfel schneiden. Auf kleinen Tellern zum Gazpacho reichen oder jeder Essensteilnehmer streut sich je einen Löffel der Gemüse- und Brotwürfel auf den Gazpacho.

Pro Portion: 210 kcal

ERBSENSUPPE MIT MINZE
(Foto oben)

Für 4 Personen

3 ½ EL Butter

1 EL gehackte Zwiebeln

1 EL Selleriewürfel

1 EL geschnittener Porree

1 Scheibe Toast

½ EL gehackte Pfefferminz- blätter

1 EL Mehl

0,6 l Fleischbrühe

Salz

150 g frische grüne Erbsen (ersatzweise tiefgefrorene)

100 g Sahne

☐ 1 Eßlöffel Butter zerlassen. Das Gemüse darin dünsten. Das Mehl darüberstäuben und andünsten, mit 0,5 l Brühe auffüllen, mit einem Schneebesen glattrühren und zum Kochen bringen. Bei schwacher Hitze 20–25 Minuten kochen, mit etwas Salz würzen.

☐ Die Erbsen in der restlichen Brühe ca. 8 Minuten kochen, dann pürieren und durch ein Sieb streichen. Die Suppe ebenfalls durch ein Sieb passieren, das Erbsenpüree und die Sahne zufügen. Dann ½ Eßlöffel Butter unter die Suppe rühren, alles gut mischen und nochmals aufkochen.

☐ Die Brotwürfel in der restlichen Butter rösten.

☐ Die Suppe mit den gehackten Pfefferminzblättern bestreut anrichten. Die Croûtons separat dazu servieren.

Pro Portion: 205 kcal

tip

An heißen Tagen kann diese Suppe als kalte Köstlichkeit serviert werden.

PAPRIKASUPPE MIT JAKOBSMUSCHELN

Für 4 Personen
4 Jakobsmuscheln
2 EL Olivenöl
1 EL Zitronensaft
1 TL gehackter Dill
Salz
Pfeffer aus der Mühle
4 große rote Paprikaschoten
1 EL Butter
2 EL feingehackte Schalotten
1 EL Zucker
1 EL Tomatenpüree
1 EL edelsüßes Paprikapulver
Saft von 1 Zitrone
¼ l Geflügelbouillon
125 g Sahne
je 1 Zweig Rosmarin und
Petersilie
Salz
weißer Pfeffer aus der Mühle
4 Dillzweige für die Garnitur

☐ Die Muscheln öffnen. Dazu nimmt man sie einzeln mit einem Handtuch in die Hand, mit der flachen Schalenhälfte nach oben. Mit einem spitzen, großen Messer zwischen die Schalen fahren und den Muskel an der flachen Innenseite durchtrennen. Die flache Schale abheben, dabei die untere Schale festhalten. Mit dem Messer am Rand des Fleisches entlangfahren und die Muschel vorsichtig herauslösen. Den grauen Bartrand abschneiden.

☐ Den Rogen und den Rest des Schließmuskels entfernen und das Muschelfleisch quer in sehr dünne Scheiben schneiden. Aus Olivenöl, Zitronensaft und gehacktem Dill eine Marinade herstellen. Das Muschelfleisch damit bestreichen und 1–2 Stunden kalt stellen.

☐ Die Paprikaschoten waschen, putzen und der Länge nach halbieren, vierteln, entkernen und in feine Streifen schneiden.

☐ Die Butter in einem Topf erhitzen und die Schalotten darin andünsten. Den Zucker hineinstreuen und unter Rühren die Schalotten leicht karamelisieren lassen. Das Tomatenpüree zufügen. Die Paprikastreifen und das Paprikapulver zugeben und das Gemüse mit dem Zitronensaft ablöschen. Mit der Geflügelbouillon und der Sahne auffüllen, zum Kochen bringen und alles 8–10 Minuten bei geringer Hitze kochen lassen. Die Kräuter dazugeben, 2 Minuten ziehen lassen und wieder herausnehmen.

☐ Die Suppe im Mixer fein pürieren und durch ein Sieb passieren. Mit Salz und Pfeffer abschmecken und in Tassen verteilen.

☐ Die Jakobsmuscheln salzen, pfeffern, auf die Suppe legen und mit Dill garnieren.
Pro Portion: 210 kcal

ROTE-BETE-SCHAUM MIT ORANGEN UND NÜSSEN

Für 4 Personen
500 g Tomaten
1 Gemüsezwiebel
4 große, gekochte Rote Beten
30 g Butter oder Margarine
Salz
weißer Pfeffer aus der Mühle
1 l Brühe (selbstgemacht aus Rind, Geflügel oder Gemüse)
375 g Sahne
50 g gehackte Walnüsse
50 g gehackte Mandeln

☐ Die Zwiebel schälen, die Roten Beten häuten und beides in dünne Scheiben schneiden.

☐ Das Fett in einem Kochtopf erhitzen und die Zwiebel- und Roten-Beten-Scheiben darin anschwitzen. Mit Salz und Pfeffer würzen, mit Brühe und 250 g Sahne aufgießen und etwa 5 Minuten bei mittlerer Hitze köcheln lassen.

☐ Die Orangen so schälen, daß die weiße Haut völlig entfernt ist, und das Fruchtfleisch mit einem scharfen Messer herausfiletieren.

☐ Die Suppe fein pürieren, dann durch ein Sieb streichen. Die restliche Sahne steif schlagen, unter die Suppe mischen und mit Hilfe des Stabmixers schaumig aufschlagen.

☐ Die Suppe auf Teller verteilen, mit den Orangenfilets, den Nüssen und Mandeln bestreuen. Gleich servieren.
Pro Portion: 570 kcal

FENCHELSUPPE MIT SCHINKENSTREIFEN

(Foto unten)

Für 4 Personen
600 Fenchel
2 EL Butter
1 TL Fenchelsamen
1 l Gemüsebrühe (aus Extrakt)
Salz
weißer Pfeffer aus der Mühle
Saft von ½ Zitrone
250 g gekochter Schinken in dickeren Scheiben

☐ Den Fenchel waschen, das Fenchelgrün abschneiden und beiseite legen. Die Fenchelknollen längs halbieren, in schmale Streifen schneiden.

☐ Die Butter in einem Topf erhitzen und den Fenchelsamen kurz anrösten. Den Fenchel hinzufügen, kurz dünsten und mit der Gemüsebrühe aufgießen. Aufkochen, 15 Minuten köcheln lassen und mit Salz, Pfeffer und Zitronensaft würzen.

☐ Den gekochten Schinken vom Fettrand befreien, längs durchschneiden und dann in schmale Streifen schneiden. In die Suppe geben.

☐ Das Fenchelgrün fein hakken und vor dem Servieren einstreuen.
Pro Portion: 225 kcal

Bildnachweis: Alle Rechte beim Verlag

Michael Brauner S. 4, 5, 8, 9, 10 (o.), 12, 19, 22, 28, 29, 35, 36 (u.), 37, 38, 39, 40, 41, 43, 44, 45, 46, 52, 55, 56, 57, 59, 61, 62, 63, 64, 67, 68, 69, 74, 75, 77, 78, 81, 83, 88, 89, 90 (o.), 92, 95, 96, 97, 98, 99, 100, 101, 103, 104 (o.), 105, 107, 108, 109, 110, 113, 115, 119, 120, 124, 125, 126, 127, 128, 129, 130, 131, 132, 133, 134, 136, 137, 140, 141, 142, 143, 144, 145, 148, 149, 150, 151, 152, 153, 157;

Pete A. Eising S. 10 (u.), 14 (u.), 16, 18, 20, 21, 30, 42, 48, 54, 60, 71, 86, 102, 106, 112;

Rolf Feuz S. 15, 23, 32, 34, 49, 72, 73, 84, 87, 94, 114, 155, 156;

Volker Goldmann S. 11, 14 (o.), 24 (u.), 26, 27, 36 (o.), 58, 65, 70, 76, 80, 91, 93, 116, 117, 121, 122, 123, 135, 139;

Ulrich Kerth S. 13, 17, 25, 53, 79, 82, 104 (u.), 111, 138, 146, 147, 154;

Ansgar Pudenz S. 24 (o.), 31, 47, 50, 51, 66, 85, 90 (u.), 118;

Studio Teubner S. 6, 33

Der Mosaik Verlag ist ein Unternehmen der Verlagsgruppe Bertelsmann

© 1993 Mosaik Verlag GmbH, München / 5 4 3 2 1
Titelfoto: Gemüsekuchen, Rezept Seite 59
Satz: Filmsatz Schröter GmbH, München
Reproduktion: Kolb Repro, München
Druck und Bindung: Mohndruck, Graphische Betriebe GmbH, Gütersloh
Printed in Germany · ISBN 3-576-10365-1